D0783808

Gele dagen

Van Laia Fàbregas verscheen eveneens bij uitgeverij Anthos

Het meisje met de negen vingers
Landen

Laia Fàbregas

Gele dagen

Anthos|Amsterdam

ISBN 978 90 414 1868 5
© 2013 Laia Fàbregas
© Deze uitgave kwam tot stand door bemiddeling van
Sebes & Van Gelderen Literair Agentschap te Amsterdam.
Zie ook www.BoekEenSchrijver.nl
Omslagontwerp Marry van Baar
Omslagillustratie 'Madame Rêve' © Alyz
Foto auteur Sanchez Zarate

Verspreiding voor België:
Veen Bosch & Keuning uitgevers n.v., Antwerpen

If you're smart, you watch for changes in color. This can apply to seeing that fruit is ripe or noticing the flush that goes with fever, drunkenness, or fury.

– Jenny Holzer, *Living*

SIRA

1

Ze zeggen dat het eerste wat mijn broer zei toen hij mij pasgeboren zag, was: 'Is dit het?'

En mijn moeder antwoordde: 'Ja, dit is Sira.'

Toen keek mijn broer mij even aan en oordeelde: 'Nou, ik vind haar niks.'

Mijn broer was pas zes, maar hij had al besloten dat we geen vrienden zouden worden.

En omdat ik uit een familie kom waar ooms en tantes altijd hun neus in andermans zaken steken, kreeg ik snel te horen dat dit de exacte woorden waren die mijn broer sprak toen hij mij voor het eerst zag.

Gelukkig deed Nil nooit iets om mij van zich af te schudden, hoewel hij kansen genoeg kreeg. Elke keer dat mijn moeder zonder bericht naar Frankrijk vertrok en ze ons niet uit school kwam ophalen, had Nil mij onderweg naar huis eigenlijk overal in de buurt kunnen achterlaten. Maar dat deed hij niet.

2

Mijn moeder is bioloog. Toen ik klein was werkte ze bij een onderzoekslab waar ze voor internationale projecten soms een paar dagen naar Frankrijk moest. Maar mijn moeder was zo verstrooid dat ze vaak 's ochtends opstond, mij aankleedde, mijn ontbijt klaarmaakte, met Nil en mij meeliep naar school, en me een dikke knuffel gaf terwijl ze zei: 'Lief zijn, hoor', of: 'Eet je boterhammen op', of: 'Tot straks.' En vervolgens herinnerde ze zich als ze weer thuis was, of misschien pas als ze op weg naar het lab was, dat ze diezelfde middag naar Frankrijk moest. En zo vertrok ze dus zonder afscheid van ons te nemen.

's Middags na school wachtten Nil en ik op het schoolplein totdat alle kinderen opgehaald waren. Uiteindelijk kwam er een leraar bij ons staan en zei Nil: 'Mama zal wel weer in Frankrijk zijn.'

Afhankelijk van welke leraar het was, mochten we wel of niet met z'n tweetjes naar huis. Dan pakte Nil mijn hand en trok mij de hele weg naar huis voort, terwijl ik almaar klaagde dat hij niet zo hard moest lopen.

Maar als we een van de behoedzame leraren troffen, dan moesten we op het schoolplein wachten terwijl hij naar ons huis belde. Aangezien er thuis niemand opnam, belde de leraar vervolgens naar het werk van mijn moeder en daarna naar het werk van mijn vader, en ten slotte, na een hele tijd wachten, zag Nil mijn vader al van ver aankomen, en zei: 'Zie je wel, Sira? Mama zit weer in Frankrijk.'

Hij had het altijd goed.

Ik was dan blij om mijn vader bezorgd en bezweet aan te zien komen, want op weg naar huis mocht ik van hem altijd langzamer lopen dan van Nil.

Mijn vader was altijd best gestrest als mijn moeder in Frankrijk was. Hij wist nooit wat hij moest koken en hoe laat hij ons naar bed moest sturen, en of we nog even tv mochten kijken of niet. En 's ochtends koos hij de verkeerde kleren voor me en dan had ik het de hele dag te koud of te warm.

's Avonds, tijdens het eten, vroeg ik: 'Komt mama morgen weer thuis?'

Waarop mijn vader zei: 'Misschien belt ze vanavond wel, en dan kunnen we het haar vragen.'

Maar ze belde nooit. Het was te duur en ze had het te druk.

Elke middag na school stond ik bij het hek en speurde de straat af op zoek naar mijn moeder. Ik wachtte op haar, ik hoopte dat de Fransen haar al hadden laten gaan, maar ik zag haar telkens niet, want ze bleef meestal een volle week in ons buurland. Voor mij was een week zo lang dat ik tegen de tijd dat ze terugkwam net gestopt was met op haar wachten. Ik was ondertussen gewend aan de sterke hand van mijn vader en aan de stilte van zijn stappen als we naar huis liepen, en aan zijn mislukte kroketten omdat hij ze in de pan gooide voordat de olie heet genoeg was.

Mijn moeder kwam dus ten slotte altijd terug, en vertelde ons schitterende verhalen over de projecten waaraan ze had gewerkt. Verhalen die ze natuurlijk verzon, want wat moest ze anders zeggen? Dat ze vijf dagen lang bezig was geweest met bacteriën door elkaar roeren op een petrischaaltje, om ze daarna onder een microscoop te bekijken? Natuurlijk niet. Daarom vertelde ze ons vaak dat ze gewerkt had aan een project om roodgekleurd gras te kweken. En ik geloofde dat toen.

Elke keer als ze terugkwam uit Frankrijk leek het alsof het rode gras een stukje dichterbij was, iets meer mogelijker was. En dan vroeg Nil vaak: 'Wanneer gaan jullie aan blauw gras werken? Dan zouden we het hele Camp Nou in rood en blauw kunnen hebben.'

En dan, tussen het gras en de knuffels door, leek het alsof alles weer op zijn plek viel, alsof ze nooit weg was geweest. Ze maakte ons 's ochtends weer wakker, ze maakte weer ons ontbijt klaar, ze bracht ons weer naar school en daarna haalde ze ons blij weer op. Totdat ze een tijd later opnieuw naar Frankrijk werd gestuurd, en omdat ze zoveel aan haar hoofd had, vergat ze opnieuw afscheid van haar kinderen te nemen.

Elke keer dat ze weer weg was, fantaseerde ik dat ze bij terugkomst een paar sprietjes rood gras mee zou brengen, om het resultaat van al die afwezigheid te laten zien. Maar ze bracht ze nooit mee. Eigenlijk nam ze nooit wat mee: geen foto van de Notre-Dame, geen beeldje van de Eiffeltoren.

Misschien kwam het daardoor – door het gebrek aan bewijs – dat ik met kerst, nadat ze voor het eerst een paar maal was verdwenen, een wereldbol cadeau vroeg, zodat ik mijn moeder in Frankrijk kon zien elke keer dat ze daar was.

Ik kreeg inderdaad een wereldbol, en ik pakte vervolgens een viltstift en bedekte de hele oppervlakte van dat land met rode streepjes, met het rode gras dat ik dacht dat mijn moeder bij de buren aan het kweken was.

Toen Nil het rode gras zag dat ik op Frankrijk had getekend, keek hij me onverschillig aan en zei dat het mijn moeder nooit zou lukken om dat soort gras te maken, dat alles een leugen was. Ik bedacht toen dat Nil nooit geloofde wat onze ouders zeiden. Alsof hij ergens anders nog andere ouders had die hem de echte waarheid vertelden over hoe de wereld in elkaar zat.

Er was een tijd dat ik dacht dat mijn broer geadopteerd was, en dat dat de reden was dat hij een hekel aan mij had. Van kleins af aan gingen we al onze eigen weg.

Nil verdeelde zijn energie over de twee essentiële pilaren waar zijn leven op steunde: Barça en films. Wat ik me het sterkst herinner is dat hij zich in zijn kamer opsloot om films uit de videotheek te bekijken. Destijds hadden de meeste gezinnen maar één televisie, in de woonkamer. Er waren wel families met een hoger inkomen die ook een televisie in de ouderlijke slaapkamer hadden, maar zeker niet in de slaapkamers van de kinderen. Maar bij ons thuis was het anders. Bij ons was Nil de enige die een eigen tv had.

Heel lang heb ik gedacht dat hij die had gekocht na jarenlang zijn wekelijkse zakgeld op te sparen. Maar toen ik ouder werd realiseerde ik me dat mijn broer een leven lang zou hebben moeten sparen om van het zakgeld dat we vroeger kregen een tv en een videorecorder te kunnen kopen.

Terwijl mijn broer tussen films en voetbal leefde, was ik meer bezig met – of beter gezegd: gefascineerd door – hoogte.

Ik bracht een groot deel van mijn kindertijd hangend in het trapgat van ons appartementengebouw door.

Ik liep het trapportaal in, keek of er geen buren aan kwamen en deed mijn kunstje: ik hield met mijn handen de balustrade vast, boog voorover en slingerde eerst mijn ene been en daarna het andere over de balustrade. Ik bleef even aan de andere kant staan, met mijn voeten tussen de spijlen, tot ik me zekerder voelde. Dan pakte ik de balustrade stevig vast en schoof mijn voeten uiterst langzaam tussen de spijlen uit om mijn volle gewicht aan mijn armen en handen toe te vertrouwen. Zo hing ik in de leegte van het trapgat. Mijn voeten trappelden in de lucht en ik voelde me vrijer dan ooit. Even later kreeg ik pijn aan mijn handen en armen omdat die mijn volle gewicht moesten dragen, maar het was een aangename pijn, een noodzakelijke pijn, onontbeerlijk om niet op de vloer van de hal beneden te pletter te slaan.

De eerste keren dat ik aan de balustrade hing, hield ik het maar een paar minuten vol, maar door het steeds te oefenen verbeterde mijn kracht. Gaandeweg durfde ik af en toe naar beneden te kijken en soms liet ik zelfs een arm los om met mijn hele gewicht aan één arm te hangen.

Ik herinner me dat ik het een keer precies een kwartier volhield, dat hangen in het trapgat. Het leek een eeuwigheid, waarin ik me bewust werd van het fletse licht dat door de lichtkoepel naar binnen scheen, terwijl ik het bloed naar mijn voeten voelde zakken. Ik keek naar beneden en telde de spijlen van de balustrade van de benedenverdieping. Even later begonnen mijn handen en armen te prikken. Ik probeerde er niet op te letten en opeens hoorde ik een deur opengaan. Het was Nil die naar buiten kwam. Toen hij me zag, trok hij wit weg. Hij was heel anders dan ik; hij klom nooit ergens op.

Voordat hij naar onze ouders zou rennen om hen te waarschuwen, beloofde ik hem dat ik niet naar beneden zou vallen, dat ik zo meteen naar de andere kant van de balustrade klom. Ik probeerde mijn vingers te bewegen, zodat mijn bloed weer zou gaan stromen, en hoewel ik merkte dat mijn handen een beetje sliepen, lukte het me over de leuning te klimmen en ik stond al snel weer met beide voeten op de grond. Nil maakte aanstalten om me te helpen, maar ik zei dat hij me niet moest aanraken. Hij bleef in de deuropening naar me kijken alsof we elkaar nooit eerder hadden gezien. We woonden op de vierde verdieping en Nil keek nooit naar beneden.

Met hangen in het trapgat begon ik toen ik me aansloot bij de *colla castellera*.* En ik sloot me aan bij de colla castellera door toedoen van mijn vriendin Rut. Bij haar thuis deed het hele gezin eraan mee; het was hun met de paplepel ingegoten, en ze had het er altijd over, al sinds we klein waren. In het begin interesseerde het me niet, totdat ik op een dag bij haar thuis ging spelen en foto's zag van enorme menselijke torens die bij haar ouders in de woonkamer aan de muur hingen. Daarna toonde ze me haar sjerp en de zakdoek van de *colla*. En die dag, toen mijn vader me bij Rut kwam ophalen, smeekte ik hem een keer te gaan kijken hoe Rut *castells* bouwde. Mijn vader stemde toe om zo snel mogelijk uit dat huis weg te zijn. Want mijn ouders

---

* Club mensen die menselijke torens bouwen. Het is een traditie in Catalonië. Het gebruik ontstond rond het einde van de achttiende eeuw in de stad Valls. Colla (*castellera*) is de vereniging, het clubje. *Castells* zijn de torens. De *castells* werden in 2010 toegevoegd aan de immateriële werelderfgoedlijst van UNESCO.

konden niet tegen de ouders van Rut. Ze vonden het een stel irritante hippies, die alleen maar over *castellers*-bijeenkomsten en vrijwilligerswerk in de buurt konden praten, alsof men niets anders te doen had dan op de benen en heupen van anderen te klimmen om menselijke torens te bouwen die geen enkel nut hadden.

Eenmaal thuis zei mijn moeder dat dat gedoe met castells absurd was en dat ze niet kon begrijpen waarom ouders hun kinderen daaraan lieten meedoen. Maar mijn vader had 'ja' gezegd, en daarom moesten we gaan kijken. Dus na veel aandringen stemden ze toe om een aantal wedstrijden bij te wonen waar de colla van Rut aan meedeed. De dagen en de maanden gingen voorbij en gaandeweg droomde ik er steeds hardnekkiger van om hetzelfde te mogen als Rut. Ik wilde deel uitmaken van die groep bezielde mensen die samen dat magische moment probeerden te bereiken, het moment waarop de *enxaneta*, het kind dat boven op de top van de toren komt, zijn hand opsteekt bij wijze van vlaggetje om te laten zien dat het castell is gelukt.

Totdat ik op een dag durfde te roepen dat ik ook aan de castells mee wilde doen, dat ik tot aan de top wilde klimmen om hetzelfde te doen als Rut. Mijn moeder kreeg het meteen benauwd. Mijn vader zei: 'Geen sprake van.' Maar ik gaf niet op. Ik bleef de hele zomer zeuren. Op het strand speelde ik soms met Nil; als acrobaten vormden we pilaren. Ik klom op zijn schouders en bleef daarop staan. Ik hield zijn handen niet eens vast en ik keek naar mijn ouders. Op dagen met kalme zee kon ik zo lang blijven staan dat Nil er uiteindelijk genoeg van kreeg en begon te wankelen om mij te laten vallen. Dan ging ik in de golven spelen of bij mijn ouders zitten en maakte ik hen gek met mijn gezeur, totdat ze in plaats van 'Geen sprake van' iets zeiden als: 'We hebben het er nog wel over.'

Het nieuwe schooljaar begon en ik probeerde op verschillende manieren druk uit te oefenen, allemaal samen met Rut bedacht, zoals negeren, een hongerstaking, of emotionele chantage in de vorm van elke knuffel of zoen weigeren. Een keer, nadat ik op het nieuws beelden van demonstraties had gezien, trok ik het laken van mijn bed en met een stift schreef ik er heel groot op: IK WIL CASTELLS BOUWEN. Ik hing het laken aan de boekenkast van de woonkamer alsof het een spandoek was. Maar ook dat had geen effect. Het enige wat die protestactie me opleverde was voor straf twee weken geen tv en een gevorderde les de was doen van mijn moeder.

Maar op een dag, vanuit het niets, toen ik al een paar weken niet meer had gezeurd, werd alles anders. Ik kwam van school met mijn moeder, en toen we thuiskwamen zat mijn vader op de bank met een tas tussen zijn voeten. Mijn moeder zei bedrukt dat ik naar mijn kamer moest gaan en daar moest blijven wachten, omdat ze met mijn vader wilde praten. Vanuit mijn kamer probeerde ik met de deur op een kier mee te luisteren en ik meende een nerveus fluisteren te horen, alsof ze ruzie hadden, maar ik verstond er niets van. Even later kwamen ze samen mijn kamer in en keken me met een vreemde glimlach aan.

Mijn vader deed de tas die hij droeg open en hij haalde er een soort zwarte sjaal uit – althans, zo leek het op het eerste gezicht. Maar nee, opeens besefte ik dat het een casteller-sjerp was! Ik kraaide en danste van geluk terwijl ik de sjerp uit mijn vaders handen griste.

Nadat ik hem van alle kanten had bekeken, vroeg ik mijn moeder me te helpen de sjerp om te doen. Ik had het Rut zo vaak zien doen, en ik was altijd zo jaloers geweest op dat moment! Ik gaf een uiteinde van de band aan mijn moeder en ging een eindje van haar af staan, zodat de doek strak stond. Ik hield het andere uiteinde tegen mijn buik en draaide rondjes om mijn as om het om mijn heupen te wikkelen, terwijl ik tegen mijn moeder riep dat ze hard moest trekken, nog harder, want anders zat de band niet goed. Tussen het springen en draaien door zag ik dat Nil met een nors gezicht zijn neus om de hoek van de deur stak en ik dacht dat hij misschien jaloers was, maar voordat ik beter naar hem kon kijken, haalde mijn vader de rest van de inhoud uit de tas tevoorschijn: het rode overhemd van de Castellers van Barcelona en de typische zakdoek: rood met witte stippen.

Op die dag ging er een nieuwe deur in mijn kindertijd open. De week erna oefende ik al met de colla.

Toen Rut vroeg hoe ik mijn ouders uiteindelijk had overgehaald, zei ik dat ik echt geen idee had, dat ze zomaar van gedachten waren veranderd. Toen opperde Rut dat mijn ouders misschien op het punt stonden te gaan scheiden, want toen haar oom en tante waren gescheiden, hadden ze haar nichtjes met allerlei cadeautjes overladen die ze eerder niet mochten hebben.

Maar de tijd verstreek en maanden later waren mijn ouders nog steeds bij elkaar. En ik bleef achter met de vraag waarom mijn ouders op een doodgewone dag hadden besloten dat het gedoe van die castells toch niet zo gevaarlijk was als ze in eerste instantie hadden gedacht.

3

Ik weet niet hoe het leven van Nil was voordat ik erbij kwam. Ik kan me voorstellen dat hij met mijn vader voetbalde, of leerde fietsen met de hulpwieltjes aan de achterkant van een blauwe fiets, die ik jaren later mocht hebben. Maar dit zijn alleen maar hersenschimmen. Niemand heeft me ooit verteld over de jaren waarin ik er nog niet was. En zelf heb ik er nooit naar gevraagd. Juist nu, nu Nil al een tijd verdwenen is, komen die vragen bij me op.

Ik weet dat mijn broer zijn naam dankt aan een song van Neil Diamond die mijn moeder ooit hoorde en meteen bijzonder vond. Mijn ouders wisten wel dat de naam Neil nooit toegestaan zou worden bij het bevolkingsregister, zodat ze naar een naam zochten die erop leek en wel toegestaan werd. Op de heiligenkalender van het klooster van Montserrat vonden ze de heilige abt Nil, waardoor ze hem Nil konden noemen. Maar elke keer dat mijn broer de vraag kreeg, zei hij dat hij vernoemd was naar de langste rivier van de wereld*, en niet naar een willekeurige song van een Amerikaanse zanger.

* In het Catalaans is Nil ook de naam van de rivier de Nijl.

Mijn moeder verstond geen Engels toen ze die naam koos, en ze had geen idee waar de song over ging. Maar later, toen het land zich openstelde voor de rest van de wereld en de Engelse taal langzaamaan zijn intrede deed in onze levens, realiseerde mijn moeder zich dat de titel van de song die haar had gegrepen 'Solitary Man' was. En toen bedacht ze dat ze zich misschien beter had moeten informeren voordat ze het leven van haar zoon verbond aan dat lied. Ze heeft sindsdien nooit meer naar Neil Diamond geluisterd.

Mijn moeder groeide op te midden van acht broers. Ze was het negende kind in het gezin. Mijn oudere ooms zeggen dat toen mijn oom Alfons – de achtste jongen – ter wereld kwam, mijn oma zo boos werd, omdat ze zo graag een meisje wilde, dat ze besloot de natuur niet te gehoorzamen en de baby alleen maar meisjeskleertjes aantrok. Gelukkig kwam mijn moeder er twee jaar later bij, waardoor die arme oom Alfons weer een jongetje mocht zijn. Mijn moeder werd het oogappeltje van oma, die haar hele leven haar uiterste best deed mijn moeder te beschermen tegen de overmaat aan testosteron die het huis domineerde.

Oma zei altijd tegen mijn moeder dat ze net een kwetsbare bloem was te midden van wilde cactussen. Maar mijn moeder wilde geen bloemetje zijn; ze wilde net als haar broers op straat spelen; ze wilde van het leven proeven zonder bang te hoeven zijn haar kleren te bevuilen, zonder vrees zich te prikken aan de stekels van de cactussen.

Misschien kwam het doordat mijn moeder die metafoor haar hele kindertijd lang hoorde dat ze op een van die rebelse dagen in haar tienerjaren thuiskwam met een lading cactussen, die ze door het hele huis verspreidde. Oma had jaren eerder, toen de eerste jongens begonnen te kruipen en de aarde van de kamerplanten in hun mond stopten, alle planten uit het huis verwijderd. Dus toen ze haar dochter met al die cactussen zag, zei ze op onverschillige toon dat als mijn moeder die planten zo nodig in huis wilde hebben, ze er zelf maar voor moest zorgen.

Toen ik klein was, leerde ik van mijn moeder hoe ik kamerplanten moest water geven en verzorgen, zoals andere kinderen van hun moeder hun veters leren strikken. Weten wanneer je de planten water moet geven, wanneer ze gesnoeid moeten worden, wanneer ze een nieuwe pot nodig hebben, dat werd me geleerd als een van de vele essentiële dingen die een kind moet leren.

Maar de liefde van mijn moeder voor het plantenrijk ging nog verder. Ik moest niet alleen zorgen voor de kamerplanten die we thuis hadden, ik moest aandacht hebben voor alle planten, waar dan ook. Van de kleinste en meest onbetekenende struiken in het park tot de grootste en krachtige eikenbomen in het bos. Ik moest voorzichtig zijn en ik moest ze respecteren. En boven alles: ik mocht nooit op boomwortels trappen, want die waren hetzelfde als mijn tenen en ik zou ze pijn doen.

En omdat ik een braaf meisje was, deed ik altijd mijn best als ik in een park wandelde, of over een pad door het bos, om niet op die lange en dunne – of soms dikke en forse – tenen van alle bomen van de wereld te trappen. Soms zag ik kinderen die niet voorzichtig waren, die gewetenloos op die gevoelige uiteinden stapten, en dan voelde ik een hevige pijn in mijn tenen.

In die tijd dacht ik nog dat ouders de absolute waarheid in pacht hadden. Nu weet ik inmiddels dat elk gezin een wereld apart is, en dat er moeders zijn die in plaats van hun dochters te leren voorzichtig te zijn met boomwortels, hun leren het wc-deksel naar beneden te doen, omdat het niet netjes is een badkamer in te komen en zo'n gapende open mond aan te treffen, in afwachting van een kont. Mijn moeder leerde me dit niet. Ik heb het zelf geleerd. Wat ze me wel leerde was om niet op de boomwortels te stappen.

Nil geloofde nooit in dat gedoe van de boomwortels. Hij trapte er eerlijk gezegd zoveel mogelijk op, om mijn moeder dwars te zitten. Er was ook een periode dat hij de kamerplanten thuis martelde. Hij deed het altijd onopgemerkt. 's Nachts, als het tweestemmige gesnurk van mijn ouders door het hele huis klonk, kwam hij zijn kamer uit met een zaklamp en een doosje spelden. Hij koos zijn slachtoffer en prikte spelden in alle bladeren van de arme plant. De volgende dag werd ik wakker van een gil van mijn moeder en terwijl ik in mijn ogen wreef volgde ik van een afstand het geruzie van mijn ouders. Intussen stond Nil onder de douche te zingen. Dan ging ik naar de woonkamer, haalde alle spelden uit de plant, wreef met een natte doek over de bladeren en vroeg de plant fluisterend Nil te vergeven, want hij meende het echt niet zo. En terwijl ik dat deed, voelde ik me stom, want ik wist best dat planten geen oren hadden. Tegelijkertijd voelde ik dat ik het moest doen, want hoewel de plant mij niet kon horen, wist ik zeker dat hij de hele nacht had geleden, en die groenige vloeistof die op mijn natte doek achterbleef moest net zoiets zijn als ons bloed.

Als Nil uit de douche kwam en me daar zo bezig zag met die plant, trok hij dat typische onverschillige gezicht van hem. Even later liep hij met me mee naar school en onderweg vroeg ik hem of boomwortels belangrijk waren, en hij zei dat ze voor mijn moeder wel belangrijk waren, maar voor hem helemaal niet. En dan vroeg ik hem of ze voor mij wel of niet belangrijk moesten zijn, en hij zei dat ik dat zelf moest beslissen, dat het een kwestie was van er wel of niet in geloven, en hij geloofde er niet in.

Misschien geloofde mijn broer nooit ergens in. Het leek echt alsof hij niet helemaal bij ons gezin hoorde, alsof hij geen deel uitmaakte van die wereld. Zijn wereld bestond uit een handjevol dubieuze vrienden, jongeren uit verscheurde families. Je had de hyperactieve jongen die zijn ouders had verloren toen hij klein was en met zijn oom en tante en zes neefjes in een te groot huis woonde, waar de arme jongen onopgemerkt leefde. En de jongen die een hoogbegaafde jongere broer had. Zijn ouders hadden alleen maar oog voor dit bijzondere kind en waren hun eerstgeborene allang vergeten. En dan had je nog de zittenblijver, die nog steeds in de achtste klas zat toen Nil al aan de universiteit begon te denken.

Ik wist dit allemaal omdat er broers, zussen of vrienden van Nils vrienden waren die me vertelden dat ze mijn broer kenden. Want als we het hadden moeten doen met de informatie die hij zelf gaf, zou ik zeggen dat hij geen vrienden had, net als mijn moeder vaak zei, als ze zich bezorgd beklaagde dat haar zoon zo'n vreemde vogel zonder vrienden was, die verslaafd was aan het televisiescherm.

Mijn vader daarentegen was niet zozeer bezorgd over het sociale leven van Nil als wel over zijn carrière, over wat hij zou gaan studeren, wat voor werk hij zou gaan doen, en wat voor leven hij zou leiden als hij later groot was. Ik heb nooit geweten of mijn vader van Nil verwachtte dat hij zijn voorbeeld zou volgen, dat hij een jonge versie van hem zou worden, of dat hij juist het tegendeel verwachtte.

Voor mijn vader was werk altijd het belangrijkst. Mijn

hele jeugd bracht hij zijn tijd door op kantoor en de weinige keren dat hij vroeg thuiskwam, sloot hij zich in zijn kamertje op om verder te werken. Hij was gek op zijn werk. Hij zat bij een verzekeringsmaatschappij waar hij de claims van klanten controleerde. Hij moest de dossiers die mogelijk frauduleus waren eruit pikken om ze door te geven aan de juridische afdeling van het bedrijf. Daar werden zijn vermoedens gecheckt en de desbetreffende vervolgstappen genomen.

Mijn vader voelde zich een agent van de geheime dienst, zoals agenten in de film, die tegenstrijdige verklaringen van verdachten blootleggen en de moeilijkste zaken kunnen oplossen. Hij was serieus en discreet in zijn werk. Hij zei vaak dat hij liever geen frauduleuze ideeën de wereld in hielp; daarom vertelde hij nooit details over de zaken die hij controleerde. Heel af en toe vertelde hij dat hij een dossier had doorgestuurd en dat hij ongeduldig zat te wachten om te weten wat zijn collega's van de juridische afdeling zouden zeggen. Of hij echt een oplichter had betrapt, of dat hij die keer net te precies was geweest en het niet bij het juiste eind had.

Als het nieuws uiteindelijk kwam en zijn vermoedens werden bevestigd, kwam mijn vader vrolijk uit zijn werk thuis. Dan vertelde hij hoeveel peseta's hij zijn bedrijf had bespaard dankzij zijn neus voor fraude. Mijn moeder vroeg hem dan hoeveel van die peseta's bij ons terecht zouden komen, waarop mijn vader steevast antwoordde dat ze best wist dat de wereld niet zo in elkaar zat.

Ik heb nooit geweten of mijn vader nog een ander tijdverdrijf had behalve zijn werk. Hij nam zo vroeg afstand van mij dat ik geen kans kreeg om hem iets anders te zien doen dan werken en vader zijn.

4

Ik was een jaar of twaalf, dertien, toen de aanvoerder van de castellers tegen Rut en mij zei dat we te groot werden voor de kindergroep van de colla. Vanaf dat moment zouden we met de ouderen oefenen. En toen begon Rut erop aan te dringen dat we voor de trainingen in het buurtcafé zouden afspreken, net als de ouderen deden, en dat we hetzelfde zouden doen als zij: bier drinken, roken en lachen, terwijl we wachtten tot de training begon.

Het café had niets bijzonders, maar het was nu eenmaal de ontmoetingsplek van de colla. Elke dinsdag en vrijdag kwam daar iedereen bij elkaar, of op de ochtenden voor een optreden, en ook vaak daarna, om de overwinning te vieren. En nadat de cafébezoekers jarenlang mensen hadden zien binnenkomen in casteller-outfit, was de plek in de volksmond min of meer 'het café van de castellers' geworden. Maar wij bleven de echte naam gebruiken: De Apocalyptische Kikker.

De eerste keer dat Rut naar de kroeg wilde stemde ik in. Maar nadat we er een paar keer waren geweest, en ik me er stierlijk had verveeld, de bittere smaak van bier had geproefd en bijna was gestikt in de rook van een sigaret, besloot ik niet meer te gaan.

Vanaf dat moment liep ik na school telkens naar huis en deed daar mijn outfit voor de castells aan. Daarna, in plaats van snel naar het café te gaan, zoals Rut deed, doodde ik thuis de tijd door een glaasje melk te drinken of door even te gaan hangen aan de balustrade in het trapgat. En als het ongeveer tien minuten voor de trainingstijd was, vertrok ik weer en liep langs het café, waar ik de hele groep bij de deur aantrof. Dan sloot ik me bij hen aan, terwijl ik me verontschuldigde dat ik niet eerder had kunnen komen.

Na de training liepen Rut en ik samen terug naar huis en dan vertelde ze me alles wat ik gemist had omdat ik te laat bij het café was aangekomen. Ze zei dat ik er de volgende keer vroeger moest zijn. Ik zei altijd dat ik er mijn best voor zou doen en daarna begon ik over iets anders en liet ik de weken voorbijgaan.

Maar op een dag lukte het me niet het café te ontwijken. We kwamen terug van de castell-wedstrijd in Tarragona en de bus van de colla stopte precies voor het café. We waren achtste geworden van de twintig colla's die meededen en een paar mensen wilden het evengoed vieren.

Rut liet me geen andere keus en opeens zat ik daar, omringd door castellers met een glas bier voor mijn neus, en ik kon niet anders dan het leegdrinken, slokje voor slokje, terwijl het groepje allerlei veronderstellingen uitsprak.

'Als het castell van zeven lagen niet was ingestort, waren we zevende geworden; we zouden de castellers uit Terrassa hebben verslagen!'

En de eigenares van het café keek ons trots aan, alsof zij ook bijna zevende was geworden.

'Was de hemel ons maar wat beter gezind geweest,' zei weer iemand anders. 'We hadden vandaag echt een gele hemel nodig!'

En iedereen knikte vol vuur.

De dagen met een gele hemel waren de beste voor onze groep. We bouwden onze castells op en af alsof ons leven ervan afhing, terwijl we wisten dat dat niet zo was, omdat alles al was besloten. Want als de hemel zo'n onwerkelijke kleur had, was dat juist om aan te kondigen dat het onze dag was. De vader van Pau was de eerste die erop begon te letten en zag hoe de gele dagen ons beïnvloedden. Hij constateerde het zowel tijdens trainingen als bij grote optredens, en hij was tot de conclusie gekomen dat de hemel ons een seintje gaf.

Van Rut had ik vaak gehoord dat elke keer dat ze het in het café over de gele hemels hadden, de eigenares hen telkens nieuwsgierig aankeek. En net op die dag leek het alsof ze zich niet meer kon inhouden; ze kwam bij Rut en mij staan en vroeg: 'Wat bedoel je als je zegt dat de hemel geel is?'

Rut keek even naar de ouderen van de colla en toen ze zag dat niemand antwoord ging geven, deed ze het zelf en zei: 'Nou, gewoon, dat die geel is. Dat-ie een geelachtige tint heeft, dat de lucht betrokken is en dat er geen blauw meer doorheen schemert.' Rut antwoordde alsof ze het over een onweerlegbare waarheid had, en ik zag dat de vrouw met een mond vol tanden stond. De eerste keer dat ik over een gele hemel hoorde praten stond ik er ook zo bij, maar in de loop van de tijd had ik geleerd de verschillende kleurschakeringen te onderscheiden en ik had leren zien dat er geen twee dagen met dezelfde lucht waren. Als het daar boven – het firmament of de hemel – de ene dag blauw kon zijn, een andere dag alle variaties grijs of wit kon vertonen, sommige avonden oranje, rossig of violet, en 's nachts donkerblauw of zwart kon zijn, waarom beweerden we dan hardnekkig dat de hemel blauw was? Telkens weer sloeg ik het hemeldak gade en kwam langzamerhand tot de conclusie dat de enige kleur die niet in de hemel te vinden was donkergroen was. Maar geel... Geel was er wel, soms. Ik ontdekte de gele dagen, en mettertijd leerde ik ze zelfs zien aankomen.

En misschien kwam het juist doordat ik thuis opgroeide met die verzinsels over een rood soort gras en met de zorg voor de wortels van de bomen dat ik die rituelen met de hemel die de castellers zo serieus namen helemaal niet vreemd vond.

Maar voor iemand zoals een eigenares van een café was het vast een heel ander verhaal. Want om dingen aan te nemen die je niet zomaar kunt zien moet je geloof hebben, of een rotsvast vertrouwen in degene die het je vertelt, of bij gebrek aan beide heb je een uitzonderlijke fantasie nodig, zoals kinderen gewoonlijk hebben.

En de dag dat de eigenares ons naar de gele hemel vroeg, had ze vast niets van dat alles, en daardoor kon ze het niet begrijpen. Maar waarschijnlijk ook omdat Rut het haar niet goed had willen uitleggen.

'Ik hou zelf van blauwe dagen,' zei de vrouw toen.

'Blauwe dagen zijn saai. Het zijn ordinaire dagen,' zei Rut brutaal, en ze nam een slokje van haar bier.

Ik kon aan het gezicht van de vrouw aflezen dat ze verbijsterd was door dit vertoon van puberale verachting. Ik boog mijn hoofd, in verlegenheid gebracht door mijn vriendin. Er viel een stilte. Ik dacht dat de vrouw niet wist of ze iets terug moest zeggen of dat ze gewoon moest weglopen. Totdat Rut, die niets merkte van wat ze had aangericht, vrolijk zei: 'Waarom heet dit café De Apocalyptische Kikker?'

Ik denk dat de eigenares toen besloot Rut met gelijke munt terug te betalen, want ze zei: 'Weet je wat, meid? Er zit best wel een ingewikkeld verhaal achter. Je zou het vast niet begrijpen.' En ze keerde zich om en liep met zelfverzekerde stappen naar de bar.

Rut lachte onzeker, en om wat er net was gebeurd af te zwakken zei ze: 'Ik weet zeker dat ze een geheim heeft.'

Ik stond op het punt om haar te zeggen dat ze te hard was geweest tegen die arme vrouw, maar ik durfde het uiteindelijk toch niet.

Rut was me altijd een paar stappen voor. Met de castells, met jongens, met het leven. Ze was sneller en ze had meer lef dan ik. Het leek of niks haar moeite kostte, of de sterren haar goedgezind waren, en of ze nooit een fout maakte. Ondertussen keek ik van achteren naar haar, zat haar op de hielen en vroeg ik me af hoe ze het voor elkaar kreeg. Een enkele keer is het me gelukt op haar niveau te komen, zoals de keer dat ik een tien kreeg voor taal en voor maatschappijleer. Of de keer, toen we in groep 6 zaten, dat we op kamp gingen met de kinderen van groep 7 en 8, en Daniel van groep 8 met mij kwam praten en niet eens merkte dat Rut naast me stond. Maar het waren nietszeggende momenten, verwaarloosbaar, vergeleken met de dagen en jaren die zij voorliep in alles. De weinige keren dat ik het voor elkaar kreeg om naast haar te lopen, of haar zelfs in te halen, probeerde ik me voor te stellen hoe onze vriendschap zou zijn als we vaker gelijk op zouden lopen, maar het lukte me niet me daar een geloofwaardige voorstelling van te maken. Onze relatie was gebaseerd op haar leiderschap. En we vonden het allebei oké dat het zo was. Of ik vond het in elk geval oké. Ik liep liever zelf een stapje achter iemand die me dingen kon leren en die me stimuleerde om verder te gaan dan ik zelf zou durven dan dat er iemand achter mij aan zou lopen, die me om de haverklap zou laten struikelen door op de zoom van mijn broek te trappen. Ik heb eigenlijk altijd geweten waarom ik vriendinnen met Rut was, maar misschien begreep ik nooit helemaal waarom zij mijn vriendin was.

Maar zo zijn kindervriendschappen: je wordt op school in een zak met een twintigtal meisjes en jongens van je eigen leeftijd gegooid, en tussen al die kinderen moet je je beste vriendin zien te vinden. Het scala aan mensen waaruit je moet kiezen is erg beperkt. Waarschijnlijk was Rut het beste wat mij kon overkomen en was ik het beste wat Rut kon overkomen, hoewel ik altijd heb gedacht dat ik het het best getroffen had. Zonder haar was ik nooit in de wereld van de castells terechtgekomen en had ik nooit gele hemels ontdekt.

Een van de onduidelijkste momenten in onze vriendschap was toen Rut achter het geheim van De Apocalyptische Kikker kwam. Ze was er al dagen mee bezig en zei telkens dat ze op het punt stond de eigenares een antwoord te ontfutselen. Ik geloofde haar niet, maar ik deed toch met haar mee.

'Wat zou dat betekenen: apocalyptisch?' vroeg Rut me op de terugweg van de trainingen. 'Dat is toch het einde van de wereld, of zoiets?'

'Voor mij klinkt het als chaotisch of rampzalig.'

'Misschien heb je gelijk. Je moet morgen mee naar het café, Sira. We gaan het morgen voor elkaar krijgen; ze moet het geheim onthullen.'

'Ja, hoor,' zei ik, ervan overtuigd dat die vrouw Rut nooit

iets zou vertellen. En de volgende dag vond ik weer een smoes om te laat bij het café aan te komen.

Toen kreeg ik zo'n vreselijke griep die je aan je bed kluistert, en ik miste een week lang het speurwerk van Rut.

Een week later ging ik weer naar school en hervatte ik de trainingen. En precies op die dinsdag na mijn griep, toen ik de colla tegenkwam, die net uit het café kwam, vroeg Rut me: 'Welke kleur denk je dat apocalyptische kikkers hebben?'

'Ik neem aan dat ze niet groen zijn,' zei ik.

'Nee. Natuurlijk niet,' zei ze met een betweterige glimlach.

'En hoe weet je dat ze niet groen zijn?'

'Omdat de eigenares het me verteld heeft.'

Ik vroeg haar wat ze had ontdekt, maar ze zei dat ze het niet kon zeggen, omdat ze de vrouw, wier naam ze niet eens wist, had beloofd dat ze het aan niemand zou doorvertellen.

En hoewel dat gedoe over het ontdekken van dat geheim altijd een zaak van Rut was geweest, leek het me op dat moment ondenkbaar dat ze zo'n voor haar belangrijke vondst voor mij achter zou houden. Ik verzocht haar weer het te vertellen, maar ze was stellig. 'Niemand wil dus zeggen niemand, Sira,' zei ze met een triomfantelijk en treiterig gezicht.

'Maar ik hou mijn mond wel. Je weet toch dat ik het niet zal doorvertellen?'

'Sorry, Sira. Weet je wat het probleem is? Als ik het jou vertel, wordt je gezicht zeker anders, en dan zal de eigenares het merken.'

'Maar ik kom nauwelijks in het café!'

'Je kunt niet doen alsof.'

'Wie zegt dat ik dat niet kan?'

'Het geeft niets, Sira, ik kan het ook niet... De enigen die het echt kunnen zijn acteurs, weet je. Bij alle andere mensen kun je het aan hun gezicht aflezen als ze iets verbergen.'

Ik keek haar vol ongeloof aan. Ging ze het echt niet vertellen? Was ze echt van plan toe te laten dat dit akkefietje tussen ons in kwam te staan?

Die dag begreep ik dat vriendschap een schaduwkant had, die donkerder werd bij afwezigheid en afstand. En ik merkte dat wat Rut en ik hadden – een band die me tot dan toe onbreekbaar had geleken – scheuren begon te vertonen.

Om te voorkomen dat de scheuren groter werden, besloot ik voor de trainingen voortaan telkens naar het café te gaan en alles te doen zoals zij het deed.

5

Mijn ouders gingen scheiden nadat Nil uit huis was gegaan. Ik was zestien en ik zat net een week in de vijfde klas
van het vwo toen mijn moeder op een avond zei dat haar geduld op was, of zoiets. In eerste instantie begreep ik er niets
van; ik dacht dat ik moest boeten voor iets wat ik verkeerd
had gedaan, hoewel ik het me niet meer kon herinneren.
Maar toen zag ik haar gezicht, voelde de zware stilte en
merkte dat dit zo'n moment was waarop je leven in de war
geschopt wordt. Ik sloot me in mijn kamer op en belde Rut.
Ze wist niet wat ze moest zeggen. Ik wist ook niet wat ik
moest zeggen. Maar ik werd er rustig van naar haar ademhaling aan de andere kant van de lijn te luisteren. En ik bedacht dat ondanks wat er allemaal gebeurd was, zij waarschijnlijk toch de enige op de hele wereld was op wie ik echt
kon rekenen.

De dag erna klom ik in een plataan in de wijk Eixample.
Ik deed het zonder na te denken. Ik keek naar de boom en
sloeg de hele en afgeknotte takken gade die het klimmen
zouden vergemakkelijken. Ik zag mezelf al in de top, en
zonder er verder over na te denken klom ik naar boven.
Tak na tak klampte ik me vast aan de stam, alsof ik de sjerp
van Pau of Rut met mijn vingers vastgreep. Elke meter ho-

ger wist ik welk niveau van het castell ik bereikt had. Rut bleef op de grond staan en keek zwijgend toe hoe ik omhoog klom. Ik kwam bij de hoogste tak die mijn gewicht nog kon dragen en ging erop zitten. Daarvandaan keek ik naar de mensen die onder me door liepen.

Sommige voorbijgangers bleven even staan om naar me te kijken. Een aantal had – misschien verstijfd van schrik – mijn hele klimpartij gadegeslagen en anderen stopten nu pas, nieuwsgierig geworden doordat de toeschouwers hun blik omhoog hadden gericht. Een vrouw gilde dat ik niet moest springen. Twee mannen in pak die in een druk gesprek waren verwikkeld keken vluchtig omhoog en vervolgden hun weg zonder te stoppen of de draad van hun gesprek kwijt te raken. Rut was wat verder weg gaan staan om vanuit een portiek naar me te kijken. Ik zwaaide naar haar en gebaarde dat ze naar huis moest gaan, dat ze niet op mij hoefde te wachten. Ze knikte, maar ze gehoorzaamde niet. De vrouw die had geroepen dat ik niet moest springen zag me gebaren; ze keek in de juiste richting en vond Rut. Ze ging bij haar staan om met haar te praten. Ik voelde wel aan dat Rut de vrouw probeerde gerust te stellen, dat ik niet zou springen en dat ik ook niet zou vallen, dat niemand de brandweer hoefde te bellen, en ook mijn ouders niet. Met name mijn ouders niet; niemand moest het in zijn hoofd halen hen te bellen, want dan zou ik in geen geval naar beneden komen.

Terwijl ik daar boven zat, dacht ik aan de dag dat ik de sjerp en het overhemd cadeau kreeg en aan de verwarring daardoor. En ik dacht aan het gesprek van de volgende dag met Rut, toen ze haar voorspelling deed. Ik vervloekte opnieuw haar vermogen om altijd verder te zien dan ik. Maar ik was dankbaar dat ze nu gewoon naast me stond, zonder vragen te stellen, en zonder dat irritante 'Ik zei het toch al' te roepen.

De brandweer kwam niet, net zomin als mijn ouders. Toen het begon te schemeren klom ik zelf naar beneden. Rut was een poosje eerder weggegaan. Ik liep zonder ergens aan te denken naar huis. Toen ik thuiskwam, zaten mijn vader en mijn moeder op hun gebruikelijke plek aan de eettafel. Ik dacht dat ze boos zouden vragen waar ik geweest was, maar ze hadden andere dingen aan hun hoofd.

'Wil je bij mama of bij mij wonen?' vroeg mijn vader. Ik keek hen sprakeloos aan. Kwam het niet in hen op om me te vragen waar ik de hele dag was geweest?

'Je vader zal een appartement in de buurt zoeken,' zei mijn moeder.

'Ja, en als je besluit bij mij te komen wonen,' voegde hij eraan toe, 'dan zal ik er een moeten zoeken dat zo groot is dat jij er ook in past.'

'Maar als je hier wilt blijven, dan woon je bij mij en zal je vader een kleiner appartement zoeken.'

Ik keek hen aan en ik wist dat ze allebei hetzelfde antwoord wilden. Ik had bijna gezegd dat ik bij mijn vader wilde wonen, alleen maar om roet in het eten te gooien. Even zag ik mezelf thuiskomen in een ander appartement, waar mijn vader een rijstgerecht voor het avondeten had gekookt. Ik rook zelfs de knoflookgeur die altijd in huis hangt als hij rijst heeft gekookt, en ik wist wat ik moest antwoorden. Ze keken elkaar opgelucht aan en ik liep naar het trappenhuis. Ik probeerde aan het hekwerk in het trapgat te gaan hangen, maar ik voelde meteen dat de constructie trilde en ik zag er maar van af. Ik was groot geworden.

Als mensen er soms naar vragen, weet ik nooit wat ik moet antwoorden. Ik weet niet waarom mijn ouders uit elkaar gingen. Ik weet niet of ze misschien nooit van elkaar hadden gehouden, of dat ze op een dag waren gestopt met van elkaar te houden, of dat ze misschien op elkaar uitgekeken waren. Misschien was mijn vader verliefd geworden op een advocate van de juridische afdeling en mijn moeder op een Franse bioloog. Ik vroeg het wel, natuurlijk, maar ze konden me nooit een samenhangend antwoord geven. Maar ja, het enige wat eigenlijk telt is dat ze hadden besloten dat ze beter niet onder hetzelfde dak konden wonen en dat, toen ze dat besluit eenmaal hadden genomen, ze hun uiterste best deden om alles wat ze tot dan toe samen hadden opgebouwd – mijn leven en dat van Nil – er zo min mogelijk last van te laten hebben.

Mijn vader vond een vierkamerappartement aan de Carrer Bilbao en verhuisde. Ons huis bleef hetzelfde. Het enige wat tussen de vier muren van ons huis verdween was hijzelf, zijn kleren en een paar pennen en krantenknipsels uit het werkkamertje waar hij altijd de dossiers nakeek die hij van kantoor meenam. Toen Nil een paar maanden eerder vertrok, had ik gezien dat er een paar cd's weg waren en de leegte opgemerkt die de Atari onder de tv had achtergelaten. En elke keer dat ik langs de open deur van zijn kamer liep, voelde ik de ruimte die de tafel had ingenomen, of ik werd overvallen door de witheid van de muur, kaal zonder al zijn posters. Maar toen mijn vader vertrok veranderde er helemaal niets. Alleen kwam er in de kast van mijn moeder wat meer ruimte, en de sleutels van mijn vader hingen niet meer aan het haakje in de hal.

Maar voor zijn vertrek legde mijn vader een boek op mijn tafel. Ik zag het pas toen hij de deur al achter zich dicht had gedaan. Het was een oud en stukgelezen boek dat *L'herbe rouge** heette. Op het omslag was een wit vierkant te zien op een achtergrond van groene en roze strepen. In het vierkant stond een zwart-wittekening van een man die op de grond lag, alsof hij dood was, en een hond die naar de man keek in een vreemde houding, met zijn voorpoten op zijn rug, op dezelfde manier als een mens zou kijken naar iets interessants dat net naast zijn voeten is gevallen.

Het was een uitgave uit 1950 en ik stelde me mijn moeder voor, de eerste keer dat ze naar Frankrijk moest voor haar werk. Ik zag haar lopen langs een boekwinkel en dat boek kopen om de eenzame uren in het hotel te doden. En daarna stelde ik me voor hoe ze tijdens de terugvlucht ondeugend die meelijwekkende leugen over het rode gras verzon om haar kinderen te amuseren met betoverende verhalen over haar werk in het buitenland.

Mijn vader vertrok dus en hij liet iets voor mij achter waarvan ik lange tijd had gehoopt dat mijn moeder het uit Frankrijk zou meenemen: het rode gras. Of misschien moet ik het niet zo zien; misschien was het de bedoeling van mijn vader om me een tip te geven over de reden waarom ze uit elkaar waren gegaan. Misschien lag die reden in Frankrijk.

De volgende dag vroeg ik mijn moeder tussen neus en lippen door of ze wist waar dat boek vandaan kwam. Ze keek me verbaasd aan en zei: 'Dat boek heb ik echt jarenlang niet gezien. Waar heb je het gevonden?'

'Is het van jou?' vroeg ik.

'Ik heb het in Parijs gekocht, toen ik daar een keer lang

---

* Het rode gras.

was. Ik heb het toen naar je vader gestuurd, maar ik geloof dat hij het nooit heeft gelezen.'

'Waar gaat het over?'

'Ik denk niet dat je het een leuk boek vindt. Het is een beetje ingewikkeld.'

'Vond jij het wel een goed boek?'

'Hmm ja... Het roert interessante zaken aan...' zei ze terwijl ze erin bladerde.

'Is het vertaald?'

'Ik weet het niet, we kunnen het opzoeken.'

En ze liep naar de boekenkast in de eetkamer om ruimte te maken en het boek erin te schuiven.

Geen van ons tweeën zocht naar de vertaling van *L'herbe rouge*. De Franse uitgave bleef weggestopt tussen twee boeken in de boekenkast staan en op mijn lijstje van vermoedens noteerde ik de mogelijkheid dat mijn moeder een geheime relatie had met een Fransman, hoewel ze al een paar jaar niet meer in Frankijk was geweest. Daarna sloeg ik haar een paar weken aandachtig gade, maar ik zag niets wat op ontmoetingen met een Fransman wees, en gaandeweg vergat ik het allemaal.

Het leven van alledag nam een nieuwe wending. De gesprekken tijdens de maaltijden 's avonds werden beperkt tot onderwerpen over hoe mijn dag was verlopen, of hoe de dag van mijn moeder was verlopen. Het leek alsof we een geheim pact hadden: de ene dag praatte de een, de andere dag de ander. Vader verdween volledig uit onze woordenschat.

Wat luisteren betreft: ik denk dat we dat geen van tweeën deden.

De relatie met mijn vader veranderde ook. De eerste weken belde hij af en toe nog op en vroeg hoe de castells in het weekend waren gegaan. Dan vertelde ik hem een paar dingen terwijl hij 'mm-mm' mompelde aan de andere kant van de lijn, en daarna vroeg ik hoe het met hem was. Hij antwoordde dan: 'Goed, heel goed', en vroeg weer naar de volgende castell-wedstrijd. Zodra het castell-seizoen voorbij was, hield hij op met bellen. Waarschijnlijk omdat hij niet wist wat hij moest vragen.

Van alle relaties moet die van de gescheiden vaders met hun puberende dochters het moeilijkst zijn.

6

Ik was van plan steeds hoger te komen. De '3 de 8'* met de colla bereiken, de wereld vanaf de hoogste punten bekijken, terwijl de wind het zweet van de beklimming droogt.

Maar toen ontmoette ik hem ineens, en hij wilde de diepte in. Hij wilde zich verliezen in diepe zeeën, meters en nog meer meters dalen om koraalriffen, zeewier en allerlei onmogelijke dieren te bekijken. Hij wilde de stilte van de oceaan en de angst voor onbekende plekken voelen; hij wilde zich eenzaam voelen in het donker van de meest innerlijke landschappen van onze planeet.

Het duurde niet lang voordat mijn moeder doorhad dat Rut op de tweede plaats was gekomen en dat er nu een duiker met zwarte en glinsterende haren was die elke middag dat ik geen castell-training had met me mee naar huis liep. Ik heb het nooit met zoveel woorden over hem gehad; alles liet zich makkelijk raden. Het zou voor ons allebei te moeilijk zijn geweest om de dingen bij hun naam te noemen. En ik wist nog niet welke naam ik dingen moest geven, omdat ik alles nog aan het ontdekken was: de wereld en het verlangen, het speeksel, de warmte van zijn mond, de hui-

* Toren van acht verdiepingen met drie personen in elke verdieping.

vering van mijn huid, dat gevoel van gewichtloosheid dat samengaat met de aanraking van de nieuw ontdekte plekjes. En we bezorgden elkaar ongekende momenten die ons lieten denken dat het eeuwigdurend was. Maar we vergisten ons, want onze toekomsten stonden lijnrecht tegenover elkaar. Dat wisten we allebei vanaf het begin. Vanaf het moment dat hij me vertelde dat zijn passie de zee en al zijn geheimen was, en ik hem vertelde dat mijn passie de hemel en al zijn kleuren was, wisten we dat er iets tussen ons in stond, maar we zeiden er geen van tweeën iets over en richtten al onze aandacht erop overeenkomsten te vinden, zoals het feit dat we allebei toegewijd waren aan een grenzeloze natuurlijke ruimte die alle kinderen van de wereld in hun tekeningen blauw kleuren, terwijl we wisten dat zowel de hemel als de zee oneindig veel kleuren kan hebben.

Hoewel we erg ons best deden, wisten we dat we gescheiden waren door meters en meters water en lucht. Maar we deden alsof dat niet belangrijk was; we deden alsof we andere dingen hadden. En die hadden we ook; we hadden de liefkozingen en de ik-hou-van-jou's; we hadden het warme zand van het strand, de ritten in de metro zonder bestemming en de middagen op het pleintje voor onze school; we hadden de lp's van Bruce en de meedogenloze docent wiskunde, en bovendien hadden we onze pasgescheiden ouders. Dat waren de dingen die ons drie eindeloze maanden lang samen hielden. En daaraan hadden we genoeg, want liefde was eigenlijk iets eenvoudigs wat volwassenen ingewikkeld hadden gemaakt om ons te doen geloven dat we nog te jong waren. Liefde was veel natuurlijker dan een huwelijk, liefde was onvermijdelijk en irrationeel; ze koos ons en liet ons niet meer gaan, en het enige wat wij moesten doen was ons daaraan overgeven. En dat deden we dus. We gaven ons over, omdat we toen nog niet wisten dat verliefdheid niets meer is dan een chemisch proces, en dat het om van iemand te houden vooral belangrijk is nooit op te geven.

Ik weet al niet meer waardoor er een einde aan kwam; misschien waren het de kerstdagen of misschien was het de verveling. Misschien bracht ik steeds meer dagen in de hoogte door en hij in de diepte. Of misschien was hij een zeemeermin tegengekomen en besloot ik dat ik beter af was met een Superman met droge voeten.

Het verlies van de duiker was geen drama, vooral niet achteraf bekeken in het perspectief van de tijd. Maar het was wel een klap. Ik moest opeens mijn gewoontes aanpassen, de manier waarop ik mijn vrije tijd doorbracht en de manier waarop ik mijn gedachten aaneenschakelde.

Ik had van alles kunnen kiezen, maar ik koos ervoor om te gaan lezen. Misschien omdat ik wist dat ik in de bibliotheek de duiker nooit tegen zou komen. Misschien omdat ik me daar veilig voelde, alleen, maar tegelijkertijd omringd door mensen, in stilte verstomde woorden verslindend, verborgen voor de wereld. Ik bracht uren in de bibliotheek door; ik liep rond door de gangen vol romans en verhalen; ik bekeek de ruggen en de titels van de boeken, en als er een was die mijn aandacht trok, pakte ik het en las ik het in een paar avonden uit. Ik verslond alle genres: jeugdromans, klassiekers, liefdesromans, op echte feiten gebaseerde drama's, detectives, magisch realisme – het maakte me niets uit. Het ging erom even in de schoenen van iemand anders te staan, of het nu was om Garp te vergezellen op zijn tocht door een alledaags leven vol onwaarschijnlijke verhalen, de club van zeven en hun hond Scamper te helpen een van hun mysteries op te lossen, of samen met Clarisse boeken uit het hoofd te leren, terwijl we Montag proberen over te halen ze niet te verbranden.

Aan het einde van elke roman kwam ik de wrede werkelijkheid weer tegen, maar dan leek het verdriet dat op mijn schouders drukte al een stuk minder zwaar te zijn geworden. Het was een tijd met weinig castells en nog minder gele dagen. Rut nam nog meer afstand dan ze al had genomen toen de duiker opdook. Of misschien was ik degene die haar op een afstand hield. We belden elkaar niet meer; we leidden ieder ons eigen leven en als we elkaar tegenkwamen deden we allebei alsof er niets was veranderd, terwijl we allebei wisten dat alles volkomen anders was geworden.

Terwijl ik me achter de boeken verschool, dacht de rest van de wereld dat mijn leven nog steeds om de duiker draaide. En ik vond het prima dat ze dat dachten. Ik had tijd nodig om aan de verandering te wennen.

Door mijn lange dagen in de bibliotheek begon ik mensen te herkennen die er ook vaak kwamen. Ik lette op wat ze deden, wat ze lazen. Een tijdlang observeerde ik een vrouw die altijd hetzelfde deed als ze de bibliotheek binnenkwam: ze ging even langs de romans, bleef een moment bij een van de boekenkasten staan, pakte een boek, en als niemand het zag, zette ze het prominent op de plank met aanbevelingen. Daarna liep ze naar een andere zaal in de bibliotheek. De volgende dag zag ik de vrouw weer binnenkomen en als het boek nog tussen de aanbevelingen lag, keek ze er even naar, glimlachte en liep verder. Maar op andere dagen, als een bibliothecaris haar trucje had ontdekt en had besloten het boek op de juiste plek terug te zetten, wierp de vrouw bij binnenkomst een blik op de aanbevelingen en ging vervolgens het boek uit de vergetelheid van de alfabetische planken redden, om het, als ze er zeker van was dat niemand haar in de gaten hield, opnieuw op de aanbevelingenplank te zetten.

Op een dag, toen ik net *Fahrenheit 451* uit had, bracht mijn nieuwsgierigheid me naar het boek dat die vrouw telkens zo graag voor iedereen zichtbaar neerzette. Ik liep erheen en kon gaandeweg de titel ontcijferen: witte letters die het hele omslag bedekten op een groene achtergrond. *De regen van rood gras*. Het verraste me. Ik dacht aan mijn moeder en aan *L'herbe rouge*, dat mijn vader voor mij had achtergelaten toen hij uit huis ging. Even dacht ik dat ik de vertaling van dat boek voor me had, maar ik bladerde de eerste pagina's door en zag direct dat dat niet zo was. Dit boek was uit 1995, net verschenen, en het was geen vertaling. Ik keek opnieuw naar het omslag: *De regen van rood gras*. Ik vond het een goede titel. Intrigerend, tegenstrijdig, beeldend. Maar het sprak voor zich dat dit boek iets te maken moest hebben met dat andere boek uit 1950. Het rode gras kon geen toeval zijn.

Het boek was niet dik: nog geen tweehonderd pagina's. Ik pakte het en bladerde het even door. Ik keek om me heen op zoek naar de vrouw, maar ik zag haar nergens, en uiteindelijk nam ik *De regen van rood gras* mee naar mijn tafel. Ik ging zitten en las de eerste pagina, maar ik kwam er niet doorheen en sloot het boek teleurgesteld. Zoveel geheimzinnigheid, zoveel aandacht – van die vrouw – voor een roman waarin ik niet verder dan de eerste pagina kwam. Misschien was het te moeilijk om *Fahrenheit 451* te overtreffen, dat de lat van mijn verwachtingen net heel hoog had gelegd.

Op dat moment had ik niet echt een ander boek te lezen en ik had ook geen zin om weer op te staan; daarom las ik de achterkant van *De regen van rood gras*, waarop natuurlijk stond dat het boek geweldig was en dat het een of andere prijs had gewonnen. De schrijfster heette Cecília Sicília. Wat een naam, dacht ik. Ik besloot het boek nog een kans te geven, maar dit keer opende ik het op goed geluk en kwam bij het begin van een hoofdstuk. Daar begon ik te lezen, en al snel voelde het alsof het een heel andere roman was. Ik werd erin gezogen en ik las het hele hoofdstuk in één ruk uit. Terwijl ik bladzijde na bladzijde las, kreeg ik een vreemd gevoel. In het verhaal konden dingen praten en het leek alsof het leven van de personages onherroepelijk gestuurd werd door een onbekende kracht die door een boek werd veroorzaakt. Een boek dat met zijn komst alles had veranderd. Ik moest denken aan onontkoombare scheidingen en aan het gevoel dat we allemaal een marionet zijn van een hogere macht die we niet kennen. En ik besefte dat, net als in het boek, de geschiedenis zich herhaalde, want met de breuk met de duiker deed ik de geschiedenis van mijn ouders precies over. En ik vreesde dat ik die gedurende de rest van mijn leven onvermijdelijk zou blijven overdoen. Als een onontkoombare straf. Als een sadistisch spel van het lot.

Nieuwsgierig naar de schrijfster van het verhaal, keek ik op de achterflap van het boek op zoek naar meer aanwijzingen. En daar kwam ik dat beeld tegen. Boven een korte en weinig concrete biografie trof ik een intrigerende foto. Het was het bovenlijf van een vrouw met haar hoofd in een papieren lampenkap.

Wie was die vrouw? Waarom verstopte ze zich? Was het dezelfde vrouw die telkens het boek tussen de aanbevelingen zette? Even voelde ik de drang om in andermans leven te wroeten, en dat vond ik een verademing. Ik liet het boek naast *Fahrenheit 451* op tafel liggen. Het was al laat en ik had eigenlijk geen zin in raadsels. Maar opeens realiseerde ik me dat ik wel heel even mijn eenzaamheid was vergeten.

Ik ging terug naar huis.

Toen ik de volgende middag de bibliotheek in liep, was het eerste wat ik zag, zonder er ook maar op zoek naar te zijn, de lege plek op de plank met aanbevelingen waar ik *De regen van rood gras* vanaf had gepakt. Een poosje later kwam de vrouw weer binnen en voerde weer haar ritueel uit: het boek uit de alfabetische boekenkast halen om het tussen de aanbevelingen te zetten. Ik bekeek haar aandachtig om te zien of ik de lichaamsbouw herkende, de schouder, de vorm van het sleutelbeen, die ik op de foto had gezien. Ik was haar bijna gevolgd om haar iets te vragen, maar durfde het niet. Ik dacht aan Rut en besefte dat zij zich geen twee keer zou hebben bedacht. Rut zou haar zonder twijfel hebben aangesproken.

Ik bleef dagenlang die vrouw observeren, en twijfelde telkens of ik iets tegen haar moest zeggen, maar elke keer dat ik haar zag, werd ik erg zenuwachtig en hield ik mezelf voor dat het stom was, dat ik haar eigenlijk niets te vertellen had. Langzaam werd de vrouw een anekdote, een ritueel dat zich voor mijn ogen afspeelde, ver van me af, losgekoppeld van de verhalen die me vergezelden, van de avonturen waarover ik aan het lezen was.

Op een dag, toen ik helemaal ondergedompeld was in het verhaal van Jane Eyre, tikte iemand op mijn schouder. Ik draaide me geschrokken om, en heel even dacht ik dat ik de vrouw van het boek zou zien, maar dat was niet zo.

Wat ik wel zag was het glimlachende gezicht van Rut.

Ze was even naar de bieb gekomen om een boek te zoeken voor een schoolopdracht en ze vroeg wat ik daar deed.

Ik wist niet wat ik moest zeggen. Ik las. Dat was wat ik deed in de bibliotheek. Maar waarom las ik? Moest ik haar alles vertellen?

'Als ik thuisblijf, word ik gek van mijn moeder, en ik vind het hier lekker rustig,' zei ik uiteindelijk.

'Kom je even mee naar buiten?' vroeg ze, een beetje onzeker. Ik was verrast door haar belangstelling; ik was langzaamaan tot de conclusie gekomen dat we allebei onze vriendschap beetje bij beetje lieten afsterven door onverschilligheid en afstand.

Ik sloot het boek en volgde haar tot aan de ingang van de bieb. We stonden een poosje met elkaar te kletsen, opnieuw op zoek naar de grenzen van onze vriendschap. En toen ze vertrok, voelde het alsof we dichter bij elkaar waren gekomen, alsof we iets hadden bereikt, alsof ze me had geholpen om een beetje toekomst te kunnen zien.

Vanaf die dag zagen we elkaar vaker in de bieb. Ik heb nooit geweten of ze kwam om boeken te halen of om mij te zien. Het maakt ook eigenlijk niet uit. Ze kwam, we kletsten, en ik kreeg telkens het gevoel dat ik de fictie van de boeken minder nodig had om mijn dagen door te komen, dat de duiker al een plek had gekregen in mijn verleden, en dat ik klaar was om een nieuwe toekomst te ontdekken.

Het duurde nog een paar weken voordat ik Rut eindelijk durfde te vertellen dat de duiker al een tijdje verdwenen was. Ik weet niet waar ik bang voor was; ik neem aan dat ik mijn mislukking niet wilde toegeven, of misschien was ik bang voor haar gezicht van 'Ik had je toch al gezegd dat dit nooit zou werken?'

Toen ik het uiteindelijk deed, zei Rut alleen maar: 'Dus kunnen we nu weer samen naar de repetities?'

En terwijl ik ja knikte, bedankte ik haar in stilte voor haar reactie.

7

Nil kwam nooit kijken als ik castells bouwde. Toen ik klein was en ik er met mijn ouders heen ging, was Nil een tiener die telkens een excuus had om iets anders te doen. En toen we ouder werden, toen ik er al in mijn eentje heen ging, was hij altijd bezig met studeren of was hij al uit huis en wist niet eens dat ik een optreden had.

Daarom was het zo vreemd om op een dag opeens zijn gezicht te zien, midden in de opgestapelde menigte beneden, terwijl ik begon te klimmen op de benen van iemand om tot de *quarts** van een '3 de 7' te komen.

Ik zag hem, of ik dacht dat ik hem zag, en toen ik goed op mijn plek was gekomen, op de vierde laag van het castell, met Rut aan mijn rechterarm en Pau aan mijn linker, probeerde ik mijn hoofd even te buigen om me te verzekeren dat ik hem goed had gezien. En ja, terwijl een van de kinderen van de *dosos*** zich aan mijn lichaam vastklampte om langs me op te klimmen en op me te gaan staan, dacht ik dat ik mijn broer daar weer zag, tussen tientallen hoof-

---

* Vierde verdieping van een *castell.*
** Op twee na de laatste verdieping van een castell. Boven op de *dosos* komt de *acotxador*, en daarna de *enxaneta.*

den, met zijn blik omhooggericht en een vreemde glimlach.

Wat deed hij daar? Waarom had hij niet gezegd dat hij
zou komen?

Ik werd zenuwachtig door mijn gedachten aan hem en
ik maakte de grootste fout die een casteller ooit kan maken: ik verloor mijn concentratie. Toen ik me realiseerde
dat met mijn gedachten ook mijn krachten dreigden weg
te drijven, trilden mijn benen al. De acotxador klom nu
naar boven, pakte mijn onzekere been, en ik raakte nog
meer van streek. Opeens trilde mijn hele lichaam en mijn
onzekerheid werd overgebracht op Rut en Pau. Toen de enxaneta via de benen van Pau begon te klimmen, stopte ze
even, want we trilden zo erg dat ze niet meer wist of ze verder moest of niet. Uiteindelijk besloot ze toch omhoog te
gaan, terwijl ik begon te merken dat ook de *terços* vlak onder ons aangestoken waren door ons trillen. Net nadat de
enxaneta bovenop was gekomen en haar hand had opgestoken, kon ik het niet meer volhouden en begaf het castell het door mijn toedoen.

In mijn val negeerde ik alles wat ik in de afgelopen jaren had geleerd tijdens alle valpartijen die ik had meegemaakt. Ik vergat alle regels van de castellers, en terwijl ik
viel probeerde ik me om te keren om het gezicht van mijn
broer weer te zoeken. Door de plotselinge beweging maakte ik een lelijke smak en raakte met mijn hoofd en arm bekneld tussen de lichamen van twee mensen. Ik dacht dat
ik zou stikken. Heel even raakte ik in paniek.

Ik weet niet meer hoe ik daaruit kwam.

Toen ik weer op de grond stond, was ik verward en ik
had zoveel pijn aan mijn arm dat ik hem niet eens meer
voelde. Ik probeerde nog even me door de menigte te wur-

men om Nil te zoeken, maar een paar castellers hielden me tegen en brachten me naar de ambulance aan de kant van het plein.

Mijn arm was gebroken en ik had een lichte hersenschudding.

Dat was het laatste castell van mijn leven. Na die dag moest ik mijn arm rust geven om te genezen en ik dacht toen nog dat ik na een tijdje wel weer castells zou kunnen bouwen, maar dat was niet zo. Mijn arm werd wel beter. Wat niet beter werd, was mijn angst. Elke keer dat ik weer op een castell probeerde te klimmen, kreeg ik opnieuw dat beklemmende gevoel van verstikking dat ik had gehad toen ik na mijn val tussen twee mensen bekneld raakte. En dan verlamde ik. Een paar keer probeerde ik tijdens trainingen dat gevoel van me af te zetten, maar het lukte me niet.

Uiteindelijk ging ik niet meer naar de trainingen.

Ik nam afscheid van de colla met het vage voornemen na een tijdje, als alles voorbij was, als de angst weg was, weer mee te doen. Maar ik ging nooit meer terug. Ik had een hoofdstuk afgesloten.

Het was moeilijk om op de grond te blijven. Ik moest een nieuw doel vinden, een andere manier om mezelf te definiëren ten opzichte van de buitenwereld. Ik wilde ergens anders verdergaan. Maar ik had geen idee waar.

Het was mijn laatste jaar op de middelbare school en ik moest belangrijke beslissingen nemen om mijn toekomst vorm te geven. Ik had geen idee wat ik wilde studeren, en ook niet wat ik wilde worden.

Op school was er een psycholoog. Als we dat wilden, kon hij ons helpen met een beroepsoriëntatietest. Aan de hand daarvan zou hij ons vertellen wat het best bij ons karakter paste. Rut en ik gingen samen die test doen.

Ik beantwoordde honderd multiplechoicevragen en daarna moest ik even wachten, terwijl de psycholoog de score bij elkaar optelde. Ik deed mijn best om niet te kijken naar wat hij in de kantlijn van mijn test schreef en zocht afleiding bij de stapels documenten die op zijn tafel lagen, tot hij even later zijn blik opsloeg, zijn bril afdeed en het vonnis uitsprak: 1. rechten, 2. filosofie, 3. journalistiek. Mijn hart stond stil. Ik liep de kamer uit en wachtte op de gang terwijl Rut haar test deed. Ik ging op dezelfde stoel zitten waar ik even tevoren had gezeten toen ik op mijn beurt wachtte. Maar nu was alles anders. Voordat ik naar binnen ging was ik er zeker van dat dat bezoek de belangrijkste vraag van mijn leven zou beantwoorden, maar dat was niet gebeurd; ik was zelfs met meer vraagtekens teruggekomen. Ik keek naar de plavuizen op de vloer van mijn school. Ik volgde de zwartgeworden voegen, terwijl ik me probeerde voor te stellen wat iemand die rechten studeert zou doen. Het duurde een paar minuten voor ik me realiseerde dat als ik deed wat die test zei, ik mijn dagen zou slijten als advocaat van ouders die van elkaar wilden scheiden omdat de een de hele dag op zijn werk zat en de ander zei dat bomen ook gevoel hebben. Er liep een rilling over mijn rug. En... filosofie? Wat is het nut van filosofie? Nadenken, conclusies trekken, onderzoek doen naar het leven en de mensheid. Zou ik een filosoof kunnen zijn? Waren er vrouwelijke filosofen? Zou ik de eerste kunnen worden? Maar wat een eenzaamheid zou zo'n filosofenleven betekenen... Met wie trouwden vrouwelijke filosofen? Ik bleef met mijn blik de lijn van de zwarte voegen volgen; ik kwam tot onder de stoelenrij aan de andere kant van de gang. Daar werden de voegen lichter, daar hadden niet zoveel vieze schoenen op gelopen. Wat dan... journaliste? Nee. Geen denken aan. De hele dag van hot naar her rennen op zoek naar een nieuwtje, of haastig een artikel moeten schrijven, dat daarna alleen gelezen zou worden door een handjevol slaperige mensen die ondertussen een broodje aten bij de bar naast het benzinestation. Nee. Ik zou ook geen journaliste worden. Ik probeerde na te denken welke andere opties ik had nu ik die van de test had afgewezen, toen Rut in de deuropening van de psycholoog verscheen. Ze liet me haar toekomstvoorspelling zien.

Opgelucht en verward tegelijk verlieten we de school. Rut stelde voor dat we naar De Apocalyptische Kikker zouden gaan om rustig over onze toekomst na te denken.

We liepen door de stad en ik merkte op dat er een stralende lentesfeer in de lucht hing. Ik bedacht dat, nu ik niet meer meedeed met de castells, ik misschien nooit meer een gele hemel zou zien.

Bij het café hadden we het erover dat we, wat er ook gebeurde, wat we ook studeerden, vriendinnen zouden blijven. Maar ik denk dat we toen al wisten dat, als we niet hetzelfde gingen studeren, of als ik geen lid meer van de colla zou zijn, er een einde aan zou komen.

Na de zomer begon Rut met haar studie rechten, de tweede optie die die psycholoog haar had gegeven — na marketing en voor bedrijfskunde —, maar de eerste die ze had aangekruist op het voorlopige inschrijfformulier voor de universiteit. Ik vulde daarentegen geen voorlopig inschrijfformulier in. Het is namelijk altijd te vroeg om te beslissen wat je de rest van je leven zult doen. Ik had me eigenlijk niet eens afgevraagd wat ik wilde 'zijn'. Ik had simpelweg gedacht aan wat ik in de eerstvolgende maanden het liefst wilde doen. Uit ervaring wist ik inmiddels al dat niets voor altijd is.

Ik deed toelatingsexamen voor de toneelschool en werd toegelaten. Ik had me geen moment afgevraagd of ik een goede actrice zou kunnen worden. Ik wilde niet eens actrice worden. Ik dacht alleen dat het een manier zou zijn om deel uit te blijven maken van een groep, van een soort colla. Ik dacht dat ik daardoor weer dichter bij de wolken zou kunnen komen, ook al zou het op een andere manier zijn, ook al zou ik mijn voeten op de grond houden.

Ik leerde veel op de toneelschool. Het belangrijkste was: dat ik geen goede actrice ben. Maar het duurde nog een paar maanden voor ik dat doorhad.

Het eerste wat ik leerde was dat castells bouwen en acteren twee zulke tegengestelde activiteiten zijn als zitten en springen. De meest indrukwekkende les werd me geleerd tijdens de eerste week van mijn studie: 'Een acteur dient met beide benen op de grond te staan,' zei de docente interpretatie. 'Hij moet die bewust raken met zijn hiel, voetzool en tenen, met het hele oppervlak. Hij moet in contact staan met de vloer en hij moet zich daarbij van zijn hele lichaam bewust zijn.' Ze pauzeerde even. Ik merkte dat ik begreep wat ze vertelde, dat ik het vanzelfsprekend en heel verhelderend vond. Totdat ze er nog iets aan toevoegde: 'Met je voeten de vloer raken is essentieel voor een acteur. Als hij dat niet doet, loopt hij het gevaar dat zijn hoofd in de wolken verdwijnt.'

Het was als een dolksteek in mijn hart, of misschien anders – in mijn maag. De actrice Sira moest zich van de casteller Sira ontdoen. Er zat niets anders op.

8

Nil verdween geleidelijk, alsof hij het niet helemaal wilde, maar tegelijk geen andere keus had. Hij ging eerst uit huis en kort daarna kwam die vreemde tijd waarin we niet meer wisten waar hij was noch wat hij deed.

Ik neem aan dat mijn broer al begon te verdwijnen toen hij jaren eerder nog thuis woonde en naar de universiteit ging. Hij studeerde wiskunde en deed tegelijkertijd de lerarenopleiding, en daarnaast kluste hij af en toe bij als bouwvakker. Het was de tijd voor de Olympische Spelen en Barcelona bouwde in het wilde weg.

De weinige avonden dat Nil thuis met ons meeat, moest hij mijn vader aanhoren, die hem bestookte met vragen en verwijten over zijn toekomstplannen. Waarom was hij verdorie gaan werken als zijn ouders de universiteit en alles wat hij nodig had al betaalden? Het belangrijkst was nu zich te concentreren op de studie, om daarna een baan te vinden, zoals het hoort. Wat moest hij nou in de bouw? Hij zou zijn rug nog breken en dan zou hij zeker voor de rest van zijn leven niets meer waard zijn.

Nil antwoordde nooit, maar ging in de tegenaanval, en dan werden ze langzaam boos, totdat mijn moeder hen zonder succes met elkaar probeerde te verzoenen. Ik sloeg het gade vanaf de zijlijn en dacht aan Italiaanse films waarin een hele familie rondom een rijk gedekte tafel door elkaar zit te praten. Schreeuwerige taferelen van mensen die alleen krijsend kunnen communiceren en waar zo'n verhitte discussie niets meer is dan een uiting van een diepere band.

Maar bij ons thuis was ruzie geen teken van temperament of een band, maar het onweerlegbare bewijs dat die constellatie mensen die ooit het project voor een gelukkig gezin was geweest nu op het punt stond opgeslokt te worden door een zwart gat.

Nil ging ten slotte het huis uit om op zijn eentje te gaan wonen, en vanaf dat moment leek het of alles ten onder ging. Niet lang daarna kwam de aankondiging dat mijn ouders gingen scheiden en toen begon ons gezin te vervagen als een waterverfschilderij in de zon.

Het feit dat we niet meer onder hetzelfde dak woonden, maakte onze afstand duidelijk. Mijn broer werd toen een doorzichtige, bijna schetsmatige figuur, die slechts verscheen elke keer dat iemand me vroeg of ik broers of zussen had. Dan zei ik: 'Ja, ik heb een broer.' Maar ik smeekte in stilte dat er niet doorgevraagd zou worden. Want eigenlijk was dat het enige wat ik van hem wist: dat hij mijn broer was.

Ik denk dat ik, doordat ik de jongste was, altijd vond dat hij degene was die onze relatie moest sturen, dat hij degene was die moest beslissen of we, naast het feit dat we broer en zus waren, ook vrienden konden worden, of we ook dingen met elkaar zouden delen die we meemaakten. Dat deed hij niet; hij liet me in de steek, in een huis met ouders die op het punt van scheiden stonden, terwijl hij vertrok om zijn eigen leven te gaan leiden. Wie was ik om hem te gaan zoeken?

Eerst hield Nil ermee op met mijn moeder te praten. Hij belde altijd op vreemde tijden – aan het einde van de middag, als mijn moeder nog op haar werk zat en ik soms al thuis was. Hij belde heel af en toe, en altijd met een bepaalde reden: de ene keer wilde hij een etentje met mijn vader verzetten, de andere keer zei hij dat hij niet naar de bruiloft van een nicht kon komen, en een paar maanden later belde hij om zijn excuses aan te bieden omdat hij mijn verjaardagsfeestje zou missen. Het waren altijd afstandelijke mededelingen vol smoesjes, maar de tijd die hij met leugens vulde om zijn zelfgekozen afwezigheid te rechtvaardigen, bood tenminste de gelegenheid tot een min of meer vloeiend gesprek, zodat ik achter een paar details over zijn leven kwam, hoewel ik nooit heb geweten of de weinige dingen die hij vertelde waar waren of dat hij ze ter plekke verzon. Na mijn gesprek met hem belde ik onmiddellijk mijn moeder op haar werk en vertelde haar alle nieuwtjes, die ze altijd mager en dubieus vond, maar uiteindelijk toereikend om het een aantal maanden uit te houden zonder zich al te veel zorgen te maken.

Nil wist best dat hij door mij te spreken tegelijk ook mijn moeder van alles op de hoogte stelde. Maar we hebben het er nooit openlijk over gehad. Ik vroeg hem nooit waarom hij onze moeder niet wilde spreken en hij roerde het ook nooit aan. Als hij maar met mij in contact bleef, leek het alsof we allemaal tevreden waren.

Totdat de koude en donkere winteravonden arriveerden en er aan de horizon een moeilijke kerst te verwachten was. Toen raakte alles in een stroomversnelling.

Ik kan me het laatste gesprek niet meer herinneren, omdat ik me eigenlijk niet realiseerde dat het het laatste was. Medio december was mijn moeder bezig met plannen maken voor de kerst en ze vroeg of ik Nil kon bellen om te vragen of hij liever op eerste of op tweede kerstdag wilde komen eten. Ik weet nog dat ik Nil vier avonden achter elkaar probeerde te bellen. Ik weet nog dat de eerste vlaag van onrust me overviel toen hij de vijfde avond nog niet opnam. Ik zie nog de angst op het gezicht van mijn moeder en voel nog de steek in mijn buik die me waarschuwde dat het moment was aangebroken om me echt zorgen te maken, toen ik haar op 23 december moest vertellen dat ik nog steeds geen nieuws over hem had. We gingen samen naar zijn appartement en we belden aan, totdat een buurman die net naar buiten kwam de deur van de portiek voor ons openhield. We liepen de trap op naar Nils deur en belden en klopten meer dan een halfuur lang aan. We probeerden met onze oren tegen de deur iets op te vangen, maar er was geen enkel geluid te bespeuren. Het was al donker toen we naar beneden liepen. We staken de straat over om vanaf de overkant het licht van zijn ramen te zoeken, maar het was er donker.

Op de terugweg herhaalde mijn moeder steeds dat ik moest proberen me te herinneren wanneer ik hem voor het laatst had gesproken, maar het lukte me niet.

Wat kun je doen als een achtentwintigjarige man besluit van de aardbodem te verdwijnen? We worden altijd te laat wakker. En dan kwellen we ons met 'wat als', en met de illusie dat we iets hadden kunnen oplossen als we eerder hadden gereageerd. Maar feit is dat iedereen verantwoordelijk is voor zijn eigen leven, en als Nil moest vertrekken om zichzelf te redden, of om zichzelf te vinden, of om wat voor reden dan ook, dan was het beter dat hij dat deed. Iedereen moet zijn eigen weg gaan, en er zijn wegen die zich van ons verwijderen, hoe erg we dat ook vinden.

Die eerste kerst zonder mijn broer was vreemd. Ik benijdde Nil en ik had medelijden met mijn moeder. De eerste weken van het nieuwe jaar bleven we hem thuis bellen en wachtten op een bericht van hem, maar de dagen gingen voorbij en steeds sterker begon de overtuiging post te vatten dat Nil had besloten zijn leven voort te zetten zonder de banden die hem aan zijn verleden vastgeketend zouden houden.

Toen besloten we in actie te komen en niet meer te wachten, maar iets te doen om iets te bereiken, om een aanwijzing te vinden. We wisten dat hem niets was overkomen; we hadden de zekerheid dat hij was verdwenen, omdat hij dat zo had besloten en niet omdat hij ontvoerd was of omdat hij een ongeluk had gehad. Ik weet niet hoe we dat wisten, maar we wisten het gewoon.

Tot nog toe had Nil als leraar gewerkt op een basisschool, maar hij had ons nooit verteld waar. Mijn moeder liep een paar scholen in Barcelona af, maar ze vond geen spoor van hem. Daarna was mijn vader degene die school na school bezocht. En toen we al vier maanden geen bericht van Nil hadden gehad, vond mijn vader uiteindelijk de school waar hij had gewerkt. Hij was er echter al bijna een jaar gestopt en niemand wist waar hij heen was gegaan.

Terwijl mijn vader als een privédetective basisscholen bezocht, was ik op zoek naar de jongens die de vrienden van Nil waren geweest: de hyperactieve wees, degene met een hoogbegaafde broer en de dwangmatige zittenblijver.

Toen ik de zittenblijver eenmaal had gevonden, was het niet moeilijk meer om de andere twee te bereiken. Maar geen van hen had nieuws over Nil, of misschien wisten ze dat heel goed te verbloemen.

Het was een vreemde periode, waarin mijn ouders en ik hechter dan ooit leken. We hadden een gemeenschappelijk project en dezelfde doorn in het vlees, en dat maakte ons een bijna normaal gezin, net als alle families die een slechte periode doormaken. Er waren zelfs gelukkige momenten, terwijl we toch in de nesten zaten. Zoals de dag dat mijn vader belde om te vertellen dat hij de school had gevonden. Mijn moeder luisterde naar hem via de telefoon in de woonkamer en ik luisterde mee via een toestel in mijn slaapkamer. Mijn vader vertelde dat hij die dag met een van de leraren had gesproken. Hij had gezegd dat hij bevriend was met Nil en had wat details genoemd. Het waren kleinigheden, zoals het feit dat ze graag voetbal keken in een buurtkroeg en dat elke keer als Barça scoorde Nil van zijn stoel opsprong, naar de straat liep en daar een koprol maakte. Hij deed het voor het eerst toen hij de voetbalpool van de kroeg had gewonnen en vanaf die dag werd het een soort traditie, totdat na de herhaling van elk doelpunt de helft van de kroeg zich voor de deuropening verdrong om de koprol van Nil te bewonderen.

Het was raar om Nil te zien door de ogen van een volwassen vriend van hem, die niets te maken had met het handjevol mislukkelingen met wie hij als kind bevriend was. En het was leuk om te horen dat mijn broer een halve kroeg kon mobiliseren met zijn koprollen, waarvan we nooit hadden geweten dat hij die kon maken. Nadat mijn vader ons alle details had verteld die de vriend had onthuld, bleven we alle drie heel even stil aan de telefoon en ik voelde een vreemd geluk, alsof Nil nog nooit zo dichtbij was geweest, maar het was tegelijk alsof we net zijn begrafenis hadden bijgewoond. Zo'n begrafenis waarbij de familie opeens de vrienden, collega's en buren van de dode tegenkomt, en zoveel nieuwe dingen te weten komt over het overleden familielid dat ze het gevoel hebben een nieuw iemand te hebben ontmoet, en die op hetzelfde moment te hebben verloren.

Toen deed de tijd nauwkeurig en onverbiddelijk zijn werk. Nil werd gaandeweg een herinnering die elke keer minder pijn deed. Het verdriet en het schuldgevoel werden verpakt in een vleugje boosheid; zijn naam vervaagde, zijn verjaardag werd een stille dag, mijn ouders namen weer afstand van elkaar. Maar boven alles ging het leven gewoon door, zoals het altijd doet voor degenen die achterblijven, wat er ook is gebeurd.

9

Rut heb ik jarenlang niet meer gesproken. Wat had ik nou te vertellen aan een *castellera* die rechten studeerde? Alles veranderde heel snel. Ik weet niet meer of we hebben geprobeerd elkaar nog te zien. Misschien deden we zelfs dat niet eens; misschien werd zij opgeslokt door het Wetboek van Strafrecht en ik door improvisatie-oefeningen. Feit is dat we elkaar uit het oog verloren en dat niemand de lege plek innam die Rut achterliet. De mensen op de toneelschool waren heel anders.

Ik heb nooit echt geloofd dat ik actrice zou worden. Daarom begon ik misschien met een ander uitgangspunt dan de andere sterren in spe van mijn klas.

We waren twaalf lichamen die in de ruimte moesten leren bewegen om verhalen te creëren. We waren twaalf onervaren lichamen die zichzelf moesten leren kennen, terwijl we ook de lichamen van onze medestudenten moesten ontdekken en onze kinderlijke schaamte en preutsheid achter ons lieten.

Ik wist me wel een houding te geven met mijn lichaam. Dat moest ik ook elke keer dat ik een castell beklom om deel uit te maken van die warmbloedige en emotionele structuur. Maar castells zijn eigenlijk innerlijke structuren; het zijn intieme verbindingen tussen een groep lichamen, en ze werken ook zonder publiek. Toneel is anders. Toneel bestaat niet zonder publiek, en als je actrice wilt zijn, heb je een mate van exhibitionisme nodig. Als je actrice wilt zijn, mag je niet bang zijn om in je eentje op het toneel te staan, mag je niet bang zijn om het publiek in de ogen te kijken en mag je niet bang zijn voor een black-out.

En ik had al die angsten, want acteren was niets voor mij. Maar ik hield het de vier benodigde jaren toch vol, omdat ik altijd alles afmaak wat ik me heb voorgenomen, hoewel ik me misschien vanaf het begin heb vergist.

Hoewel het niet in mijn bloed zat om films of toneel te gaan doen, was ik ook geen mislukkeling. Met uitzondering van de Poolse docent die me soms toebeet dat hij niet snapte hoe iemand als ik het toelatingsexamen had gehaald, waren de docenten vriendelijk en bleven me met matige cijfers zachtjes aansporen, tot ik aan het einde kwam en het traject afrondde waarvan ik niet wist waar het me zou brengen.

Vier jaar lang was ik dus een van de lichamen, een lichaam dat lachte of huilde, dat boos werd of onverschillig bleef, dat andere lichamen aanraakte en dat zich liet aanraken, een lichaam dat zich soms met het ene personage inkleurde en soms met een ander.

Want daar ging het bij toneel om: we moesten ons verbeelden dat we iemand anders waren. We moesten het publiek misleiden en het laten denken dat we anders waren dan degenen die zij zagen. En om iemand anders te kunnen spelen, moet je weten hoe anderen zijn, moet je op mensen letten, op iedereen. Op de meest onbelangrijke details van de mensen om ons heen, van de mensen die we op straat zien.

'Er zijn zoveel verschillende mensen op de wereld. Zó verschrikkelijk veel!' zei de docente interpretatie. 'En iedereen doet iets anders, terwijl ze eigenlijk hetzelfde doen als de rest van de wereld. Op dit moment, elke seconde, worden er kindjes geboren, en tegelijkertijd zijn er mensen half slapend koffie aan het zetten. Terwijl ik dit uitspreek, zijn er talloze stelletjes wild aan het vrijen en duizenden mensen een doodskist aan het uitzoeken. Zien jullie deze mensen?' En ja, ik zag ze, ik kon me hen voorstellen, en ik neem aan dat alle andere studenten in de klas hen ook zagen, want de docente keek tevreden en vervolgde: 'Hier gaat het in het toneel om: om ervoor te zorgen dat het publiek mensen ziet die er eigenlijk niet zijn. Bijvoorbeeld... We zouden ons kunnen verbeelden... dat... nu... uitgerekend op dít moment... er een jongeman in Petropavlovsk-Kamchatsky is die plotseling wakker wordt en zich realiseert dat-ie zich heeft verslapen. Het is voor hem een belangrijke dag vandaag, het is zijn eerste dag op het werk. Over een kwartiertje wordt hij verwacht bij een van de vele autobandenwinkels die de stad rijk is. Zien jullie hem? Zie je hem in alle haast opstaan en zijn spijkerbroek aanschieten?' En terwijl ze het zei, deed de docente alsof ze een broek aantrok en vervolgde: 'Zie je hem door het huis rennen... op zoek naar zijn portemonnee? Hij vindt hem, pakt ook de sleutels van het aanrecht en hij haast zich de trap af. Op de voorlaatste trede stapt hij met zijn rechtersportschoen op de losse veter van zijn linker, struikelt en valt voorover op de stenen vloer, die bezaaid is met zand en kiezeltjes van de ongeasfalteerde straat. Hij staat op, kijkt naar zijn geschramde handen, raakt zijn knieën aan en klopt uiteindelijk het stof van zijn kleren. Het stelt niets voor. Zijn geluk heeft hem vandaag voor de tweede keer in de steek gelaten, zegt hij tegen zichzelf, maar dat zal geen derde keer gebeuren. Vanaf nu zal alles goed gaan. Hij spuugt in zijn handen, wrijft ze tegen elkaar en verlaat opgewekt het gebouw. Zie je die uitdrukking op zijn gezicht? Die ogen die weten dat alles goed zal gaan, omdat het eigenlijk niet slechter kan?'

En iedereen knikte, en ik vroeg me af of de docente die jongen uit Petrodinges echt kende.

'Is het duidelijk?' vroeg de docente, en we knikten allemaal, de een met meer vuur dan de ander, en toen ging ze verder:

'En tegelijkertijd, op dit moment... in... laten we zeggen... in een dorpje in Bolivia... is er een opaatje dat onbezorgd de deur uit gaat, omdat hij voor zijn gevoel zestig jaar jonger is, en hij denkt dat-ie naar school moet. Juist vandaag verheugt hij zich erop om naar school te gaan, niet omdat hij belangrijke dingen zal gaan leren, maar omdat hij dat mooie meisje uit zijn klas weer zal zien. Het meisje dat gisteren... maar eigenlijk zestig jaar geleden... hem vertelde dat ze hem leuk vond. Dus gaat het Boliviaanse opaatje onbezorgd als een kind de deur uit en hij volgt de weg die hij op zijn duimpje kent: eerst rechtdoor, verderop naar rechts, bij het gele huis naar links... Hij loopt de hele weg goed, maar het gebouw dat hij zoekt zal hij niet vinden, want de school is dertig jaar geleden met de grond gelijkgemaakt... en dus loopt hij verder en verder de straat van het gele huis in, op zoek naar dat grijze gebouw dat zijn school was, waar het mooie meisje op hem wacht om hem weer te zeggen dat hij de leukste jongen van de klas is. Hij loopt en loopt, terwijl het meisje uit zijn gedachten verdwijnt, terwijl hij de pijn in zijn gewrichten weer begint te voelen, terwijl het donker en kouder begint te worden, terwijl hij naar de huisarts zou moeten gaan om naar die gewrichten van hem te laten kijken, terwijl hij nog geen ontbijt heeft gehad, terwijl hij de gebouwen om zich heen niet meer herkent, terwijl hij naar huis zou moeten gaan, waar zijn zoon op hem wacht, en nu... nee... nu: nu realiseert hij zich dat hij verdwaald is...'

En dan zweeg ze even, zodat we allemaal in gedachten de denkbeeldige man konden zien, en ging verder: 'Zien jullie dat gezicht? Die blik die zegt dat niet alleen de straat onherkenbaar is geworden... maar dat ook in zijn binnenste de dingen van plaats zijn veranderd? Jullie zien het wel, toch? Met je blik, met je houding, moet je de hele geschiedenis van het personage overbrengen – duidelijk? Oké, oké... Kom, wie wil ons een ander personage voorstellen?'

En toen kwam er iemand naar voren, die vastberaden voor de hele klas ging staan, even nadacht en begon: 'Nou... op dit moment... is er ook een vrouw die haar paarse nagellak net heeft verwijderd, en nu haar nagels met zorg knipt en vijlt. Zo meteen gaat ze er een lichtere kleur lak op doen. Ze woont in het centrum, ze heeft een doodgewone baan bij een bank, en vanavond heeft ze een date met een jongen die ze nooit eerder heeft gezien. Nu pakt ze de roze nagellak en ze begint die op de nagel van haar rechterpink aan te brengen. Ze zou zenuwachtig kunnen zijn vanwege de ontmoeting, maar dat is ze niet. Nu lakt ze de nagel van haar ringvinger. Ze heeft al vaker mannen ontmoet via blind dates die haar meelevende vrienden voor haar organiseren, en ze vindt het allemaal niet zo spannend meer. Ze ziet het al aankomen: hij zal meteen voor haar vallen, en ze zal hem een sukkel vinden. Ze denkt eigenlijk dat het niet uitmaakt of ze haar nagels lakt of niet. Ze weet zeker dat ze vanavond de man van haar leven niet zal ontmoeten.'

'Heel goed, heel goed... Wat zien we nog meer van die vrouw? Zie je haar gedachten? Kun je zien hoe die zekerheid die haar doet denken dat ze de man van haar leven nooit zal vinden eigenlijk al haar onzekerheden verhult?'

Iedereen knikte en de docente ging door: 'Dit zijn allemaal snippers, momenten. Het is wat het publiek ziet en nodig heeft om het personage te leren kennen. Daarna heb je al die andere dingen die niet zichtbaar zijn, alles wat de acteur verder nog van het personage weet, zijn verleden en zijn toekomst.'

De klas presenteerde meer en meer personages: werksters, zakenmannen, ondeugende kinderen, voetbalsterren – van alles en nog wat. Totdat bleek dat iedereen al was geweest en het mijn beurt was iets te bedenken. Ik stond op, ging voor de klas staan, en zonder enig idee waar het verhaal heen zou gaan, begon ik een vrouw te beschrijven die naar Frankrijk reisde om een nieuw soort gras uit te vinden. Een roodkleurig gras.

10

Ik nam de telefoon op.

'Alle verhalen hebben een slecht einde,' zei een stem die ik uit duizenden zou hebben herkend. Ik gaf geen antwoord; ik nam aan dat hij me een verhaal met een tragisch einde zou vertellen. Ik liep op straat en ging op een bankje zitten om naar hem te luisteren. Het was op een middag met een felle zon die je verblindt en je winterse bleke huid troost. Jarenlang had ik op dat telefoontje gewacht en ik had het me op duizenden verschillende manieren voorgesteld, maar nooit midden op straat, zittend op een bankje op de Plaça Letamendi in Barcelona. Hoe was hij achter mijn mobiele nummer gekomen? Ook had ik nooit gedacht dat het gesprek zou beginnen met de woorden die ik net had gehoord: 'Alle verhalen eindigen slecht.' Maar hij was de baas. Tot nog toe was hij degene die het vrijwel nietbestaande ritme van onze relatie had bepaald. En nu leek het erop dat hij ook de inhoud wilde bepalen. Ik wachtte even af, maar toen hij niet verderging, sprak ik hem tegen: 'Er zijn verhalen die wel goed eindigen.'

'Nee,' zei hij overtuigd. 'Verhalen die zogenaamd een goede afloop hebben, eindigen eigenlijk niet; ze gaan door. Die suikerzoete films met een happy end tonen alleen

maar aan dat juist daar, aan het einde van die zoetsappig-
heid, de sleur begint. De film eindigt precies op dat moment, omdat dan het leven begint – dat wil zeggen, het verhaal dat slecht zal aflopen.'

Ik kon zijn onrustige ademhaling door de telefoon heen
horen.

Hij ging door: 'Verder heb je van die beklemmende, tragi-
sche films, die eindigen met een hoopgevende gebeurtenis.
Dan zeggen mensen dat de film goed is afgelopen, maar dat
is ook niet waar, want dat sprankje hoop is weer het begin
van een nieuw verhaal, dat natuurlijk ook slecht zal aflopen. Alles loopt af en het einde is per definitie slecht.'

Ik wist niet wat ik moest zeggen. Ik dacht dat hij de
theorie die hij zojuist over me had uitgestort vast had bedacht nadat hij een paar van die films van hem had gekeken. En ik verbeeldde me mijn broer, liggend op een bed
– een soortgelijk bed als hij in zijn kamer bij ons thuis had –
helemaal gebiologeerd door die ouderwetse televisie die
hem al die tijd gezelschap had gehouden in zijn tienerjaren. Ik realiseerde me dat ik met mijn broer praatte, met
de onbekende die zoveel jaren in de kamer naast de mijne
had gewoond, en dat ik zoals altijd weer niet wist wat ik
moest zeggen.

'Waar ben je?' zei ik zachtjes.

'Aan het einde.'

'Welk einde?'

'Het einde van alles.'

'Hoe bedoel je?'

'Niets, ik bedoel niets.'

Ik gaf hem tijd, voor het geval hij van mening zou veranderen, voor het geval hij zich nader wilde verklaren. Maar
hij zei niets.

'Is alles goed met je?'

'Ja.'

'Waar ben je?' drong ik aan.

'Dat heb ik je al gezegd.'

Ik keek naar het schermpje van mijn mobiel en zag het telefoonnummer waarvandaan hij belde.

'Is dit jouw nummer?'

'Nee.'

Ik wilde hem zoveel vragen, ik wilde zoveel van hem weten, over wat hij de laatste jaren allemaal had gedaan, maar ik was bang dat elke vraag in mijn oor zou weerkaatsen als een boemerang die *tuut tuut tuut* doet, gevolgd door een troosteloze stilte. Toen merkte ik dat er behalve mijn nieuwsgierigheid ook een ander gevoel kleefde aan de herinnering die ik van Nil had: een ongecontroleerd gevoel van woede, van hevige verontwaardiging. En plotseling, zonder dat ik het zelf besefte, kreeg dat gevoel de overhand en ontketende een onbeheersbare rivier van emoties: 'Waar ben je in godsnaam? Hoe haal je het in je hoofd? Mama heeft het al die tijd heel moeilijk gehad! En ik... En nu durf je te bellen, en het enige wat je zegt is dat het einde altijd slecht is! Je bent een echte egoïst! Een asociaal! Je bent echt... egoïst! Je bent...' *Tuut tuut tuut tuut tuut tuut tuut.*

Ik hing op en voelde een sterke neiging om ergens op te klimmen. Ik bleef even op het bankje zitten en keek naar de voorbijsnellende auto's, mensen, scooters en bussen. Ik twijfelde of ik mijn moeder moest bellen. Ik deed het niet.

Na ruim een uur pakte ik de telefoon weer om de lijst met ontvangen oproepen te bekijken. Ik vond het nummer waarvandaan Nil me had gebeld. Ik besloot een poging te wagen.

'Ja?' zei een onbekende en ongeduldige stem. Hij klonk ver weg. Ik drukte mijn vinger op mijn andere oor om het gesprek beter te kunnen verstaan.

'Kan ik Nil spreken?'

'Wat?' riep de stem.

'Is Nil er ook, alstublieft?' Er viel een korte stilte aan de andere kant van de lijn en ik probeerde te achterhalen wat voor geluid er op de achtergrond klonk, maar het lukte me niet.

'Nil? Volgens mij ben je verkeerd verbonden, meid.' Hij hing op.

Ik keek om me heen. De stem die ik net had gesproken kon zich overal in de provincie Girona bevinden, want het telefoonnummer begon met 972.

Ik wilde weten wie mijn telefoontje had beantwoord en waarom hij Nil niet kende. Ik besloot opnieuw te bellen. De telefoon ging lang over en toen ik bijna op het punt stond op te geven zei de stem die net had opgehangen: 'Ja?' Hij klonk nog steeds ongeduldig.

'Eh... Sorry, met Sira Biada, ik zou graag...'

'Wat zeg je? Ik heb geen tijd voor kletspraat, er staan twee auto's te wachten.'

'Waar bel ik dan naartoe?'

'Jij belt mij toch? Weet je niet waar je naartoe belt? Mooi is dat... Nou, wat je ook verkoopt, ik ben er niet in geïnteresseerd, oké? Doei.' En hij hing weer op. Ik bleef naar het schermpje van mijn telefoon kijken. Nil was plots weer spoorloos verdwenen.

NIL

1

Verdwijnen is niet moeilijk. Wat wel lastig is, is wat erna komt: verdwenen blijven. Iemand anders worden.

Het is niet iets wat je van de ene op de andere dag beslist. Maar er is altijd een reden, iets wat je aanspoort om het te doen. Vaak is het de wanhoop die je tot vertrekken zet. Daarna komt de angst, en afhankelijk waar die vandaan komt, doet hij je terug naar huis keren of dieper verstrikt raken in het verdwijningsproces.

Ik was al bezig te verdwijnen zonder het te merken, en toen ik wel moest verdwijnen, was ik al halverwege.

Het begon allemaal met dat artikel in de krant. Ik raakte bijna in trance toen ik de foto zag, en er gebeurde iets wat ik nog nooit eerder had ervaren: ik móést die foto gewoon uitknippen en boven mijn tafel hangen, waarop ik de oefeningen van de leerlingen nakeek. Vanaf die dag keek ik haar elke keer dat ik mijn blik tussen de ene optelling en de andere opsloeg aan en vertelde haar iets over de leerling wiens werk ik aan het nakijken was.

Ik wist dat veel mensen me voor gek zouden verklaren. Hoe kwam ik erbij om een foto uit te knippen van een vrouw die haar hoofd in een lampenkap had gestoken? Dat wist ik ook niet, maar ik had het gevoel dat zich achter dat

papieren scherm een bijzonder iemand moest verschuilen, een unieke geest. Maandenlang hield die verscholen
vrouw me gezelschap. Ik keek haar voortdurend aan; ik
probeerde de barrière die ze tussen ons had opgeworpen te
doorbreken en ik vroeg me af wat ze op dat moment aan
het doen was. Maar ik wist het niet; ik wist eigenlijk niets
van die vrouw. Ik had destijds het artikel bij de foto wel gelezen, maar haar naam en alles wat er over haar werd verteld was net zo snel als een verzekeringsreclame uit mijn
hoofd verdwenen.

Tot op zekere dag.

Als ik nu over alles wat er gebeurde vertel, zo, punt voor
punt, krijg je misschien een beeld van me dat niet helemaal klopt. Dingen moeten in hun context begrepen worden, en de context van dit alles is natuurlijk mijn leven,
mijn kindertijd, mijn karakter. Alles bij elkaar.

Ik ben opgegroeid in de wetenschap dat mijn ouders zouden scheiden zodra Sira oud genoeg was. En ik wist dat
omdat zij het me zelf verteld hadden. Een bruiloft wordt
normaal gesproken ruim op tijd gepland. Een scheiding
daarentegen komt meestal als een verrassing. De scheiding van mijn ouders was alleen voor Sira een verrassing.
Ze hadden het al jaren eerder besloten; hun vrienden wisten het al lang en mijn opa en oma hadden al vaak op een
verzoening aangedrongen. Iedereen vond er wel iets van.
Iedereen behalve Sira.

Ik wist het zeker sinds het begin van mijn middelbareschooltijd, maar ik vermoedde het al veel langer. We waren inmiddels al gewend aan de afwezigheid van mijn
moeder, die plotseling aanvallen van vrijheidsdrang kon

krijgen en dan zonder aankondiging voor dagen verdween. Zo liet ze mijn vader in een zee van leugens rond-
zwemmen, vol Fransen en vol projecten om een grassoort
te kweken die rood was.

Ze hebben me nooit direct verteld dat dat hele Frankrijk
niet bestond. Ik herinner me niet meer hoe ik het te weten
kwam – misschien kwam ik zelf tot die conclusie – maar
feit is dat ik wist dat mijn moeder wegging om afstand te
nemen, om weer op adem te komen, of misschien om bij
een minnaar te zijn. En dat was juist de reden waarom ze
nooit afscheid van ons kon nemen: omdat ze tegen ons
niet kon liegen, omdat ze heel goed wist dat ik haar al vanaf het begin doorhad.

Maar de keer dat ik er zekerheid over kreeg, het incident dat al mijn vermoedens bevestigde en dat me bewees
dat ik niet fout zat, kwam op een dag dat ik hen midden in
een discussie betrapte.

Toen ik thuiskwam was de klap van de deur vast samen-
gevallen met een of andere schreeuw, want het leek of ze
me niet hadden gehoord, en toen ik de verziekte sfeer voelde die uit het binnenste van het huis kwam, besloot ik heel
langzaam naar binnen te sluipen en in mijn kamer te verdwijnen totdat alles uitgewoed was. Maar net toen ik op
mijn tenen langs de deur van de woonkamer liep, werden
hun stemmen zo duidelijk dat, hoezeer ik er ook mijn best
voor deed ze niet te horen, het me niet lukte. Ik hoorde ze.
En hoe. De woorden staken in mijn ziel als de klauwen van
een razende kat.

Op die dag ontdekte ik dat Sira bijna niet geboren zou
zijn.

Ik bleef onbeweeglijk in de gang staan, in afwachting
van meer woorden. Ik wilde begrijpen wat ik net gehoord

had, nieuwsgierig naar waarom opeens alles terugging naar het moment waarop Sira was geboren. Maar om de een of andere reden – misschien omdat ze mijn ademhaling hoorden, of misschien omdat ze de deur toch wel hadden gehoord toen ik binnenkwam – merkten ze mijn aanwezigheid op. Mijn moeder ging naar de deur, deed die een stukje open en keek me aan, en daarna keek ze weer naar mijn vader. Ze waren allebei stil. Ik ook. Zij bleven in de woonkamer, terwijl ik naar mijn kamer liep.

Een tijdje later ging mijn moeder het eten klaarmaken en mijn vader ging Sira ophalen bij een vriendinnetje. Toen ze terugkwamen en we met z'n vieren thuis waren, leek het alsof de vrede weer aan de muren kleefde. Maar alles was niet echt meer hetzelfde.

Een paar dagen later kwam ik terug van school, ging naar mijn kamer en miste meteen mijn Barça-poster met de handtekeningen van Urruti, Schuster en Maradona. Daar waar die had moeten hangen was een witte leegte en in het midden van die leegte zat een klein gaatje in de muur. Er kwam een witte kabel door het gaatje vanuit de woonkamer mijn kamer binnen. Ik volgde de witte kabel tot aan het voeteneinde van mijn bed en daar trof ik een oud houten tafeltje aan met een blinkende tv erop. Op de onderste plank van het tafeltje een videorecorder vol knopjes. Ik maakte een sprong van geluk en probeerde het niet uit te schreeuwen. Ik liep naar de tv en streelde die triomfantelijk. Al drie jaar lang had ik er met kerst en met mijn verjaardag tevergeefs om gevraagd. Ik drukte op de knopjes van de tv en de videorecorder, en staarde even naar het scherm vol zwart-witruis. Ik wist dat op dat moment het leven was veranderd. Er begon zich een kloof te vormen tussen mijn zusje en mij.

Ik kwam mijn kamer uit om te checken of alles ging zoals het moest gaan. Ik trof mijn ouders in de kamer van Sira. Mijn vader had een rode blouse in zijn handen en mijn moeder hielp Sira haar sjerp om te doen. Sira huppelde en draaide, blij als een jonge hond. Mijn vader keek me aan met het gezicht van een verliezer en ik keek onverschillig terug. Genietend van de bittere nasmaak van chantage keerde ik terug naar mijn kamer.

Sira groeide dus op met het idee dat onze ouders van elkaar hielden. En toen, zomaar op een dag, vertelden ze haar dat het niet zo was, en ze had er moeite mee het te accepteren. Haar waarheden gingen aan diggelen en het riep allerlei angsten in haar op die beter veel later opgeroepen hadden kunnen worden.

Ik heb daarentegen altijd geweten dat ze niet van elkaar hielden. Ik maakte het van heel dichtbij mee. En na elke 'reis naar Frankrijk' van mijn moeder hoopte ik dat ze de knoop zouden doorhakken en de scheiding zouden doorzetten. Toen ze het uiteindelijk deden, was dat voor mij een verademing.

Sira en ik woonden onder hetzelfde dak, maar ons leven is zo anders dat je zou zeggen dat we niet eens broer en zus zijn. Ons gezin was net een toneelstuk waarin mijn ouders de hoofdrol speelden, en Sira en ik slechts een bijrol, terwijl we in geen enkele scène samen voorkwamen.

Het is natuurlijk nooit een excuus, maar we worden allemaal beïnvloed door wat we hebben meegemaakt. En dit is wat ik heb meegemaakt. Ik heb dus nooit in het huwelijk geloofd en ook niet in de suikerzoete verhaaltjes die ze in Hollywood maken.

Die vrouw zonder naam die zich in een lampenkap verschool hield me gezelschap.

Op een benauwde zomerdag – maar dan zo een als vroeger, zonder airco – werd alles ingewikkelder. Na het werk op school ging ik naar de kroeg met Sebastià, die maatschappijleer gaf, om de dag van ons af te schudden. Ik kan me nog herinneren dat hij die dag vertelde dat hij voor de zoveelste keer ging verhuizen, omdat hij weer een gestoorde huisgenoot bleek te hebben. Toen we aan ons derde biertje zaten, vroeg Sebas de ober of hij de tv die achter mij stond wilde aanzetten, omdat Barça speelde. De ober knikte en deed snel de tv aan.

Zoals iedereen altijd doet als er een tv aanstaat in zijn blikveld, bleef Sebas weliswaar met mij praten, maar wierp hij af en toe een blik op het scherm in afwachting van het einde van het nieuws en het begin van de wedstrijd. Totdat ik tot de conclusie kwam dat hij niet eens naar me luisterde en besloot me om te draaien om het nieuws samen met hem te volgen.

En precies op het moment dat ik me omdraaide, zag ik de foto die ik zo goed kende, die dunne en blote schouders en de zwarte linten van haar jurk en de papieren lampenkap die haar hoofd aan het zicht onttrok. Mijn mysterieuze vriendin, op het tv-scherm van die armzalige kroeg.

Een voice-over praatte over de vrouw. Voor even voelde ik een nieuwe deur opengaan in mijn leven. Een deur waardoor ik de vrouw die me tot nu toe in stilte gezelschap had gehouden zou kunnen bereiken. Ik probeerde naar het nieuws te luisteren, terwijl Sebas mompelde dat 'die griet een malloot was'. Ik deed mijn best niet naar hem te luisteren, terwijl ik zei dat hij gelijk had.

Ik onthield haar naam. Dit keer lette ik wel op.

Daarna dronk ik nog meer biertjes met Sebas, en we keken ook naar de wedstrijd, maar toch ben ik haar naam nooit meer vergeten.

Ik weet het: zo verteld klinkt het belachelijk. Ik was toen vierentwintig. Achteraf bekeken kan het verleden best belachelijk lijken. Het probleem is dat we dat op het moment zelf niet doorhebben.

Cecília Sicília. Ik wist dat ze iets geschreven had en dat ze min of meer bekend was. Ze had op z'n minst in een weekblad gestaan en was op tv geweest.

Ik had haar naam, maar het zou nog een paar jaar duren voor we Google hadden, en zeker een decennium voordat het web vol zou staan met persoonlijke informatie.

Vroeger moest je creatiever zijn om iemand te vinden.

Nu weet ik het wel. Nu weet ik waarom ze in dat weekblad stond en waarom ze op het nieuws kwam.

De bioloog in neopreen

De bioloog die kikkers bestudeerde wilde leren duiken, om kikkers beter te begrijpen. Daarom kocht hij een duikbril en een snorkel, zwemvliezen en een neopreen duikpak. Maar hij schreef zich nog niet in voor een duikcursus.

Thuis haalde hij de duikbril en de zwarte snorkel uit de plastic tas van de sportwinkel en zette die op, om te zien hoe hij ermee uitzag. Hij bekeek zichzelf in de spiegel van de badkamer en herkende zichzelf niet. Hij deed de duikbril af om de band strakker te spannen. Toen hij de bril weer opzette, voelde hij zo'n druk op zijn jukbeenderen en voorhoofd dat hij dacht dat zijn hersenen door zijn mond naar buiten zouden glijden en zijn ogen uit zijn oogkassen zouden puilen. Hij bracht zijn hoofd dichter bij de spiegel om zichzelf beter te bekijken. Hij verwachtte twee grote ballen te zien, net als de ogen van zijn grootste kikker. Maar hij zag niets, want opeens brandde de gloeilamp door en was de badkamer in duisternis gehuld. Geërgerd liep hij naar de gang, zocht de boodschappentas en deed het zwarte duikpak en de zwemvliezen aan. Hij liep de gang op en neer. Hij dacht dat het hem goed zou doen om een tijdje met de duikuitrusting aan rond te lopen en vouwde de kleren op die hij daarvoor aan had gehad om ze op te bergen. Daarna vouwde hij ook de plastic tassen op om ze later als vuilniszak te gebruiken, en toen hij in de keuken was, zag hij dat de twee borden en een kopje van het ontbijt nog afgewassen moesten worden. Hij deed een paar rubberen handschoenen aan en begon de borden met de borstel in te zepen.

Wat de bioloog die kikkers bestudeerde niet wist, was dat zijn huisgenoot, die pas sinds een week de kamer huurde, die dag niet naar zijn werk was gegaan, omdat hij geen zin had. Hij was wakker geworden van de hysterische toon van de wekker, was in bed overeind gekomen en had naar zijn werk gebeld om zich ziek te melden. Vervolgens was hij weer onder de dekens gekropen. Daarom lag hij nog te dommelen in zijn kamer. Maar de bioloog die kikkers bestudeerde wist dat dus allemaal niet. Daarom dacht hij toen hij een deur hoorde opengaan dat het geluid uit het huis van de buren kwam.

Er hadden toen verschillende dingen kunnen gebeuren: de huisgenoot had direct naar de badkamer kunnen gaan; hij had daar kunnen proberen het licht aan te doen en hij had een kreet van ergernis kunnen slaken die de bioloog die kikkers bestudeerde had kunnen waarschuwen, zodat hij op zijn hoede was en zich in zijn kamer had kunnen verschuilen om zich om te kleden voordat hij weer naar buiten kwam met een nieuwe gloeilamp.

De huisgenoot had ook de keuken in kunnen lopen, waar hij hem van top tot teen in zijn duikgewaad had aangetroffen, en geamuseerd kunnen vragen: 'Was het water nat?'

Maar er gebeurde niets van dat alles. Wat er wel gebeurde was dat de nieuwe huisgenoot half slapend de keuken in kwam, opeens oog in oog stond met de bioloog die kikkers bestudeerde gekleed in een zwart duikpak, meteen klaarwakker schrok en zo'n overdreven gil slaakte dat de bioloog die kikkers bestudeerde zich dood schrok en nog harder probeerde te krijsen. Maar door de snorkel in zijn mond kwam er slechts een troosteloos *buuuuuuuuuuu* uit, dat de huisgenoot verbijsterd achterliet.

Na die absurde dialoog bleven ze elkaar een paar tellen diep in de ogen kijken, totdat de huisgenoot zich omdraaide en zich weer in zijn kamer opsloot.

Ze hebben elkaar nooit meer gezien.

2

Cecília Sicília ging schrijven uit noodzaak, net als de meeste mensen die schrijven. Ze begon zonder pauze te typen om grip te krijgen op haar chaotische en overdreven leven, dat uit de hand begon te lopen.

Ze zat in het derde jaar van haar studie taalkunde en ging elk weekend uit met de vriendinnen van de universiteit op jacht naar studenten die ingenieur of dokter wilden worden. In die tijd wist ze niet eens van mijn bestaan af en al had ze me toen gekend, ze zou het nooit in haar hoofd hebben gehaald om het aan te leggen met iemand die wiskundige of leraar wilde worden. Nee, ze wilde een ingenieur of een dokter. Wiskundigen leken haar net als IT'ers de mannelijke versie van bibliothecaressen. En ze dacht dat de mannelijke ratio bij de lerarenopleiding even gering was als bij taalkundigen, waardoor het niet eens de moeite waard was om het te proberen. Een keer vroeg ik haar of ze het ooit met een student natuurkunde of scheikunde had gedaan, en ze zei: 'Geen denken aan!' Ze zouden te slim of te koppig zijn.

Cecília Sicília begon met schrijven op een olijfkleurige Olivetti die haar tante haar cadeau had gegeven toen ze op school typeles kreeg. En ze begon met schrijven op de dag dat ze zich realiseerde dat ze te ver was gegaan. Op de dag dat de ingenieurs, dokters en taalkundigen haar allemaal tegelijk de rug hadden toegekeerd omdat ze niemand respecteerde, omdat ze alleen aan zichzelf dacht, of om precies te zijn: omdat ze op een avond in het toilet van de disco had zitten scharrelen met de ingenieur die het vriendje was van een van haar twee taalkundige vriendinnen en diezelfde nacht was geëindigd in het bed van de dokter naar wie haar andere taalkundige vriendin de laatste maanden had zitten verlangen.

Of zo heeft ze het toen verteld. Ik vermoed eigenlijk dat het iets anders was, iets wat haar opeens het gevoel gaf dat ze alleen op de wereld stond waardoor de behoefte om zoveel woorden uit te spuwen bij haar opborrelde.

Dit weet ik allemaal, omdat ik het op het laatst te weten kwam. Maar het belangrijkste is dat ik het nu rustig kan vertellen, omdat de tijd gelukkig alles een plek geeft.

Dus toen ze zo moederziel alleen was, begon Cecília Sicília een boek te schrijven over onmogelijke relaties tussen mannen die geen boeken wilden lezen en vrouwen die verdwenen en in grassprietjes veranderden. Een surrealistisch verhaal dat ze in drie maanden klaar had en dat ze aan haar grootste idool opdroeg: de Franse schrijver, ingenieur, uitvinder, dichter, vertaler, chansonnier, recensent, acteur en jazztrompettist Boris Vian. Een zo veelzijdige man op wie Cecília Sicília, die zo hardnekkig iedereen in een hokje stopte, geen grip kon krijgen.

Het boek won een of andere prijs en het vloog over de toonbank, hoewel de recensenten haar, misschien vanwege haar neiging haar gezicht niet te laten zien, genadeloos neersabelden. Op een gegeven moment dook er zelfs iemand op die haar van plagiaat beschuldigde, maar ik geloof dat het allemaal met een sisser afliep.

Iedereen had het over Cecília Sicília en haar boek, maar niemand wist wie ze was. Het lukte niemand een andere foto te publiceren dan die ene die op de achterflap van het boek stond. Dit contrast tussen roem en onzichtbaarheid betekende eigenlijk nog meer populariteit voor haar boek en voor Cecília, die, van de ene op de andere dag en bijna zonder het te merken, hét onderwerp van gesprek werd bij alle radiopraatprogramma's.

Het spreekt vanzelf dat Cecília door het succes nog verder van haar taalkundige vriendinnen af kwam te staan, die zich niet alleen gekwetst voelden door haar gedoe met mannen, maar er kwamen nu ook jaloezie en ongeloof bij vanwege de overdreven beroemdheid die haar in de schoot geworpen was.

Maar Cecília schonk al geen aandacht meer aan haar vriendinnen, want ze had het er nu te druk mee haar nieuwe leven te ontdekken. Een leven vol ochtenden in Cafè Vienès van het Hotel Casa Fuster in Barcelona, waar de meeste literair journalisten met haar afspraken, en waar ze hen verscholen achter een Venetiaans masker ontving. Een leven vol gesprekken bij radiozenders met presentatoren van culturele en minder culturele programma's die het boek hadden gelezen en het mooi hadden gevonden, maar die eigenlijk meer zin hadden om te praten over de polemisch omgekeerde verhouding tussen verkoopcijfers en recensies en over haar hebbelijkheid zichzelf onzichtbaar te maken. En een leven vol interviews voor lokale en minder lokale televisiezenders, die, net als elk jaar, een aantal minuten van hun literaire programma's hadden gereserveerd voor een item over de prijs die de jonge belofte Cecília Sicília had gewonnen. En die programma's werden ten slotte allemaal uitgezonden met een onherkenbare gepixelde Cecília in beeld.

Ze werd ook uitgenodigd voor diverse lezingen over allerlei thema's, van 'De vrouwelijke literatuur in de eenentwintigste eeuw', 'Succes en jeugd: een explosieve mix?' tot 'Boris Vian: de universele man'. Maar al die lezingen wees ze stelselmatig af.

Cecília haatte het om 'jonge belofte' genoemd te worden, omdat een belofte een project is, een toezegging, en zij was niets van dat alles. Ze was een Schrijver met een hoofdletter, omdat ze al een boek had geschreven, omdat ze haar project al had uitgevoerd.

En daarmee wil ik niet zeggen dat ze een dromer was die zichzelf groter achtte dan ze in werkelijkheid was. Nee, Cecília was bovenal realistisch. En dat denk ik nu nog steeds, ondanks alles wat er daarna is gebeurd.

Na een interview bij een van de best beluisterde radioprogramma's, toen ze al tevreden over de goede feeling met de presentator wegging, werd ze net voordat ze het gebouw verliet staande gehouden door een van de assistenten van het programma, die haar een beetje verlegen vroeg of ze haar iets mocht vragen. Cecília keek haar nieuwsgierig aan en het meisje verklaarde dat de presentator het geurtje dat ze droeg heel lekker had gevonden en dat hij graag zou willen weten hoe het heette om het aan zijn vrouw cadeau te geven. Cecília glimlachte ondeugend, rook aan haar polsen alsof ze zich niet meer herinnerde welk geurtje het was, en fluisterde de naam ervan. Het meisje bedankte haar hartelijk. Toen Cecília vertrok, dacht ze aan de vrouw van de presentator, aan hoe oud ze zou zijn en wat ze zou denken als ze dat geurtje op zou doen, dat op haar huid vast heel anders zou ruiken dan bij Cecília.

Een paar maanden lang schoot ze omhoog als een raket. Daarna kwam alles gaandeweg tot stilstand en Cecília voelde zich gedwongen terug te keren naar haar vroegere leven, of een andere toekomst te bedenken. Een aantal dagen van lusteloosheid en moedeloosheid gingen voorbij. Ze zat naast de telefoon en wachtte almaar op telefoontjes van journalisten of uitgevers of wie ook maar de schittering van haar roem van dichtbij wilde zien, haar ego wilde strelen en vanaf de grond naar haar wilde opkijken hoe ze bovenaan met de vlag van haar vroegrijpe genialiteit stond te zwaaien met haar haar wapperend in de wind.

Er belde niemand. De hoeveelheid tv- en radioprogramma's en krantencolumns die iemand zoals Cecília Sicília kon vullen had zijn maximum al bereikt. Zo had een uitgever of journalist haar ook al voorspeld op een van die dagen van literaire euforie: na het mediacircus wordt het weer tijd om in je schrijversgrot te kruipen om een tweede succes te scheppen. Maar Cecília nam het heft niet in handen en ze bleef wachten totdat er iets – een telefoontje, een vraag, een idee, *inspiratie* – haar stilstaande wereld zou binnendringen om hem onherroepelijk weer in gang te zetten.

In die dagen van stilte en afwachting verlangde ze af en toe zelfs naar een telefoontje van haar vader of haar moeder, van wie ze al zes jaar lang niet wist of ze dood of in leven waren, maar van wie ze vurig hoopte dat ze nog leefden. Ze hoopte ook dat haar ouders op een dag een vieze krant op straat zouden oppakken en dan de foto van hun dochter met een lampenkaphoofd zouden aantreffen, dat ze het beeld zouden herkennen en zouden zien dat hun dochter ondanks hun sombere voorspellingen toch uit de put was gekropen waarin ze haar hadden opgevoed. Ze had het zelfs zo ver geschopt dat ze nu door een onoverbrugbare sociale kloof van elkaar werden gescheiden. Maar ongeacht de kloof had Cecília nog altijd de neiging om aan hen te denken. Ze bleef over hun goedkeuring dromen; ze bleef hopen dat, waar ze dan ook waren, ze op z'n minst levend en wel samen waren.

De dagen gingen voorbij en ze verspilde haar vrije tijd – eigenlijk al haar tijd – aan het afwegen van haar mogelijkheden. Ze wist wel wat ze moest doen: haar studie opgeven en met hart en ziel aan een tweede boek gaan schrijven, maar ze had er het lef niet voor. Ze miste een idee, een begin, een vonk, een noodzaak. Ze wist niet waarover ze moest schrijven, ze wist niet hoe ze moest schrijven. Op een bepaald moment vroeg ze zich zelfs af of ze er goed aan had gedaan dat eerste boek te publiceren dat haar zoveel roem had gebracht als ze eigenlijk geen inspiratie had en haar eerste prestatie misschien zelfs niet kon evenaren. Maar ze deed haar best om niet weer in een put te vallen waar ze alleen met veel moeite uit zou kunnen kruipen. Ze liet haar gedachten en haar zoektocht naar inspiratie even voor wat ze waren en raakte ervan overtuigd dat ze maar het best een goede technische basis kon leggen voor haar creativiteit door haar studie taalkunde te hervatten. Het studentenleven zou haar tegelijkertijd helpen alle zorgen uit haar hoofd te zetten en dat zou de deur openen tot de inspiratie, die ze zomaar op het meest onverwachte moment zou krijgen, zoals dat met inspiratie gaat, naar men zegt.

Tenslotte is het ironisch dat Cecília Sicília niet wist waarover ze moest schrijven. Haar leven was een en al mysterie en onvoltooide verhalen. Maar ik denk dat de magie van de literatuur alleen van buitenaf gezien kan worden.

De eerste dag dat Cecília weer een voet zette in de faculteit, dacht ze dat alle docenten haar zouden feliciteren met haar schitterende succes, maar ze stuitte op de muur van onverschilligheid die ze achter had gelaten toen ze schrijfster was geworden. Het was alsof het leven in dat deel van de wereld sinds de dag dat ze geen lessen meer volgde stil was blijven staan en nu weer op gang kwam, alsof er in de tussentijd niets was gebeurd. Enkele medestudenten die nog nooit iets tegen haar hadden gezegd, richtten zich nu tot haar om haar koel te feliciteren met haar boek. Haar toenmalige vriendinnen negeerden haar compleet, net als ze al hadden gedaan vóór die hele toestand.

Zo werden dus de eerste weken van Cecília's terugkeer naar de faculteit taalkunde een soort confrontatie met de werkelijkheid. De docenten wezen haar op de onderwerpen die ze had gemist en spoorden haar aan om de schouders eronder te zetten, want anders zou ze niets halen. Nadat Cecília in het wilde weg om aantekeningen had gevraagd en een stortvloed aan afwijzingen, leugens en halfslachtige smoesjes over zich heen had gekregen, kwam ze uiteindelijk twee vierdejaarsstudenten tegen die haar hun aantekeningen van het derde jaar leenden om hetgeen ze had gemist te kunnen inhalen. Met te donkere fotokopieën en een stapel aanbevolen boeken bracht Cecília eindeloze avonden en weekends door in de bibliotheek, terwijl ze haar voorbije roem vergat en de kennis vergaarde die ze nodig had om het weer te kunnen bijbenen op de universiteit.

Ze voelde zich thuis in de bibliotheek, tussen al die boeken, in de wetenschap dat ook haar boek tussen al die pakken papier stond, haar *opera prima*, haar eerste stap naar onsterfelijkheid.

Ze maakte geen nieuwe vrienden. Ze had er geen tijd voor, of misschien had ze er geen zin in. Op sommige lenteavonden at ze als ze uit de bibliotheek kwam een broodje bij Bar Estudiantil. Daarna liep ze over de Rambla richting zee, terwijl ze de geuren van de stad opsnoof. Dan twijfelde ze tussen de metro nemen om thuis op de bank neer te ploffen of de nacht verlengen om even te voelen dat ze leefde. De nacht won altijd, en dan liep ze naar de Plaça Reial, stapte de Karma of de Jamboree binnen en met een wodka-jus in de hand ging ze op in het duister tussen de zweterige lichamen. Ze danste in haar eentje, totdat iemand haar benaderde. Mannen die even om haar heen dansten en haar daarna iets vroegen wat ze vaak niet eens kon verstaan. Dan keek ze hen diep in de ogen en zei altijd ja, want degenen die het hadden aangedurfd om met haar te dansen en te praten waren altijd degenen die ze al eerder zelf had gekozen, toen ze de wodka-jus bestelde. Tussen de eerste vraag en het eerste gefrunnik verstreek vaak weinig tijd. Daarna kwam de strooptocht naar de toiletten om een lijntje te snuiven of een pilletje te slikken, om zo de nacht tot in de kleine uurtjes vol te houden, tot de tent leeg begon te lopen. De nacht eindigde vaak in bezwete bedden waarvan Cecília al vanaf het begin wist dat ze er nooit meer terecht zou komen. De volgende dag deed ze haar best om te vergeten wat er allemaal was gebeurd en ging ze opnieuw naar de faculteit, en daarna naar de bibliotheek met het vaste voornemen harder te studeren en minder uit te gaan. Maar als de dag voorbij was, gaf ze zich weer over aan de nacht. Omdat ze van de nacht kreeg wat haar dagen hadden verloren.

Haar regelmatige bezoeken en misschien ook haar een- zaamheid zorgden ervoor dat ze plotseling een andere vrouw opmerkte die ook vaak alleen danste tot er een vent op haar af kwam. Op de een of andere manier werden ze vriendinnen.

Cecília vertelde me nooit hoe dat meisje heette. Ik zal haar Sandra noemen, want als ze over haar vertelde, moest ik aan een Sandra denken die ik ooit had gekend.

Ze werden verbonden door de eenzaamheid van het suc- ces, een gebroken kindertijd en hun zelfingenomenheid, die geen van beiden onder stoelen of banken stak. Sandra was afgestudeerd in economie met de hoogste cijfers van haar faculteit; ze werkte bij een bank, verdiende al een be- hoorlijk salaris en zei vaak dat ze genoeg had van student- jes die altijd platzak waren. Cecília verzweeg dat ze nog studeerde; ze vertelde alleen over haar leven als succes- schrijfster. En zo begon een relatie van wederzijdse bewon- dering gebaseerd op gedeelde leugens. Cecília had geen be- hoorlijk salaris, maar ze hoefde ook niet op een houtje te bijten, zoals haar ouders. De eerste jaren van haar studie had ze nauwelijks rond kunnen komen van de schaarse beurzen en het geld dat haar oma af en toe uit Galicië stuurde. Maar nu had ze gelukkig ook de literaire prijs en de kleine beetjes die haar roman opleverde. Het was niet veel, maar als ze oppaste kon ze er twee jaar goed van le- ven.

De vriendschap hielp Cecília om diverse dingen een plek te geven. Gaandeweg gingen ze af en toe samen uit eten en vulden de avond met bescheiden maaltijden, be-sproeid met min of meer intieme gesprekken, in plaats van hun tijd te verdoen onder het gewicht van onbekende lichamen. En alsof alles een cyclus was waar een einde aan moest komen, verdwenen gaandeweg de nachten vol muziek en drugs.

Het nieuwe leven van Cecília nam een vaste vorm aan: nachten waarin geslapen werd, dagen gevuld met faculteit en studie – terwijl ze deed alsof ze zich thuis opsloot om een tweede roman te schrijven – en avonden vol bekentenissen en leugens met Sandra. Het was een onnodig ingewikkeld leven, maar wie weet was het tegelijk de simpelste en beste periode van Cecília Sicília.

En toen ze alles alweer een beetje op de rails had, kwam er vanuit het niets een tweede gelukstreffer, of opleving. Haar uitgever belde enthousiast om te vertellen dat er een toneelproducent geïnteresseerd was om haar roman tot een toneelstuk te bewerken. Cecília waagde het te vragen hoe ze bepaalde sleutelscènes zouden kunnen bewerken, of welke acteurs ze zouden kiezen, maar de uitgeverij maakte haar duidelijk dat ze alleen maar blij hoefde te zijn dat er iemand was die een toneelstuk van haar boek wilde maken, de armzalige royalty's die haar ten deel vielen te innen en dan te wachten tot het resultaat in het theater te zien zou zijn, en in de tussentijd in alle talen te zwijgen.

En dat deed ze. Ze bekeek het allemaal van een afstand, terwijl ze doorging met slapen, leren en Sandra misleiden. En toen een jaar later het toneelstuk in première ging, liet ze Sandra onverbiddelijk vallen, zoals ze in het verleden al zoveel vriendinnen in de steek had gelaten, en stond ze klaar voor de media die bijna twee jaar na de eerste hype haar personage wilden helpen opkrabbelen.

En daarom verscheen Cecília in haar lampenkap in dat nieuwsprogramma dat ik door een gelukkig toeval zag toen ik met Sebas in de kroeg vlak bij onze school was, op die dag dat Barça speelde.

De acteur en de mist

De acteur die als figurant meespeelde in *Bloederige klaprozen* hoefde er niet lang over na te denken. Toen hij de scenarioschrijver van de film bij de urinoirs van de rode designtoiletten trof, ging hij naast hem staan, en terwijl hij zijn piemel tevoorschijn haalde, begon hij te vertellen over zijn conceptscenario voor *De stad van de mist*. Over hoe een stad met eeuwige mist haar inwoners kon beïnvloeden, over hoe men het kijken zou moeten aanpassen aan het verminderde gezichtsveld, over hoe, op een dag, een inwoner die op bezoek was geweest in de stad van de zon zou beseffen dat de onafgebroken mist zijn gezichtsvermogen had aangetast, over hoe sindsdien alle inwoners van de stad van de mist ook op heldere dagen wazig zouden zien.

De scenarioschrijver deed met een energieke beweging zijn gulp dicht en keek strak naar de acteur die als figurant speelde in *Bloederige klaprozen*, die hakkelde: 'Mis... Misschien is dit niet... het goede moment om... erover te praten.'

De scenarioschrijver antwoordde niet; hij draaide zich om en verliet het toilet zonder zijn handen te wassen.

Een paar minuten later kwam de acteur die als figurant speelde in *Bloederige klaprozen* ook uit het toilet; hij dacht aan de stad van de mist en aan de wazige dagen, en vroeg zich af of hij het verhaal niet anders had moeten vertellen, beginnend bij het mysterie van de vrouw die op de enige zonnige dag van het jaar verdween. Maar hij kwam de scenarioschrijver nooit meer tegen. Hij bleef werken en zijn incidentele optredens voor de camera doen, totdat de dag kwam waarop hem werd verteld dat hij niet langer nodig was.

En juist op die dag had hij een openbaring die hem hielp verder aan zijn script te schrijven. Die avond, nadat hij het uniform van ambulancebroeder dat hij in de laatste scène had gebruikt terug had gebracht, en nadat hij de nepbloedvlekken van zijn armen had gewassen, liep hij toevallig langs de enorme rode deur van het rekwisietenmagazijn, die op een kiertje stond en stak zijn hoofd nieuwsgierig om de hoek. Wat hij zag waren drie jongens naast een berg kikkers. Ieder van de jongens had een grote houten kist, waar ze handenvol kikkers uit haalden, die ze op de berg die voor hen lag gooiden. Hij dacht in eerste instantie dat het echte kikkers waren, maar daarna besefte hij dat, als dat zo was, ze dood moesten zijn, en dat het magazijn dan zou moeten stinken als de pest. Nee, ze moesten van plastic zijn, want de geur die ervan af kwam, leek eerder op die van een zwemband of een luchtbed op de dag dat je die voor het eerst oppompt.

De acteur die niet langer als figurant in *Bloederige klaprozen* speelde, hoorde de jongens praten:

'Dit is echt een goed einde.'

'Nou, ik vind het echt stom.'

'Wat zeg je nou? Het is echt steengoed! Een kikkerregen!' De acteur voelde zijn hart een sprongetje maken. Een kikkerregen! Waarom had hij dat niet eerder bedacht? Zijn stad van de mist moest bevrijd worden van haar plakkerige vlies door een kikkerregen die de lucht zou doen opklaren.

'Hoe halen ze het in hun hoofd!' vervolgde een van de jongens.

'Jawel, het is subliem! Het is een aankondiging van de apocalyps. Het einde der tijden.'

De apocalyps, dacht de acteur die niet langer als figurant in *Bloederige klaprozen* speelde. En hij verliet de filmstudio en liep naar de bushalte. Het was al donker. Hij zocht met zijn hand in zijn tas en haalde er een boek uit. In het licht van de straatlantaarn bij de bushalte begon hij *Het rode gras* van Boris Vian te lezen.

3

Nadat ik haar naam op het nieuws had gehoord, kocht ik haar boek in de boekhandel in de buurt en nam het met zwetende handen van ongeduld mee naar huis. Voor ik haar boek had gezien, voelde ik al een intieme verbinding met haar, een band die was ontstaan door de aanwezigheid van haar foto. Maar de dag dat ik de titel van haar boek zag, wist ik dat ik haar hoe dan ook moest spreken. *De regen van rood gras* bracht me terug naar mijn kindertijd, deed me denken aan mijn moeder en aan een wereldbol die Sira thuis had, waarop Frankrijk bedekt was met fijne streepjes die Sira erop had getekend met een rode stift, alsof het een regen van rode grassprietjes was.

Ik las de roman in drie avonden uit. Ik wist dat die fictie was, maar ik las hem met de gedachte dat alle personages iets van Cecília hadden, dat ik tussen de regels door zou kunnen ontdekken wie ze was. Maar ik kwam er niet uit, omdat er tegenstrijdige personages in voorkwamen, surrealistische situaties, en omdat de roman een einde had dat het hele verhaal op losse schroeven zette.

Na het lezen van het boek bestudeerde ik een paar dagen lang alle kranten in de cafés waar ik ontbeet, lunchte of borrelde. Ik zocht voortdurend naar het beeld dat ik zo goed kende of naar de letters van die overdreven naam. Op geen enkel moment verloor ik de moed; ik wist dat ik haar weer zou vinden. En dat gebeurde ten slotte ook. Vanwege de première van het toneelstuk had haar uitgeverij overal nieuwe lezingen georganiseerd. Ik belde de uitgever om erachter te komen waar en wanneer ik haar kon zien, en een paar weken later zat ik zomaar op een stoel op de vijfde rij van een auditorium vol enthousiaste lezers.

Ik was volkomen geïntrigeerd door haar verschijning. Zou ze met haar onbedekte gezicht tevoorschijn komen? Zou ze met haar hoofd in een lampenkap optreden? Bij de ingang was iedereen gewaarschuwd dat het uitdrukkelijk verboden was om foto's van de schrijfster te maken, en de zaal was heel schaars verlicht, misschien om er zeker van te zijn dat de foto's van degenen die het verbod durfden te negeren zouden mislukken.

Na een halfuur wachten kwam Cecília op en ontlokte met haar entree een zee van toonloos geroezemoes. Ze klom het podium op en ging op een stoel achter een enorme tafel zitten. Ze had halflang haar; ik meende te zien dat het bruin was, maar verder kon ik niets van haar uiterlijk onderscheiden. Een spotje verlichtte haar van achteren en maakte haar tot een vage schaduw. Ze bleef een paar minuten stil in haar stoel zitten, terwijl een man die zich voorstelde als haar uitgever een praatje hield om het evenement in te leiden.

Ik luisterde niet naar de man. Ik staarde onafgebroken naar de gestalte van Cecília Sicília. Langzaamaan wende ik aan die buitengewone verschijning, en toen ze een poosje later begon te praten, lukte het me te vergeten dat ik een vrouw zonder gezicht zat te bewonderen.

Na de presentatie kwam het signeren en iedereen haastte zich om in de rij te gaan staan. Ik bleef een poosje als aan de grond genageld zitten. Ik wist dat ik uiteindelijk toch zou opstaan, maar ik was er nog niet op voorbereid. Ik keek om me heen. Mensen die elkaar kenden groepten bij elkaar; iedereen was met iemand meegekomen of kende iemand die er al was. Toen dacht ik nog dat het allemaal vrienden en familie van Cecília moesten zijn; toen wist ik nog niet dat ze bijna geen familie had en dat haar vrienden op de vingers van één hand te tellen waren. Ik dacht dat iedereen naar me keek en zich zou afvragen wat ik daar deed.

Ik wilde per se met haar praten, maar ik had geen idee wat ik moest zeggen. Uiteindelijk ging ik in de rij staan en wachtte tot ik aan de beurt was. Met elke stap die ik naar voren zette, kwam ik dichter bij haar en kon ik haar gezicht beter observeren: haar haar was inderdaad bruin en steil, net tot op haar schouders, en het glansde met een verwarrende schittering. Haar ogen hadden een lichte, onbepaalde kleur, en ze had een volmaakte neus met daaronder volle en vuurrode lippen. Ze was van een onmetelijke schoonheid en tegelijkertijd was ze doodgewoon. Ze had een willekeurige vrouw kunnen zijn, een vrouw die niemand doet omkijken, maar iets in de manier waarop ze zich bewoog, in de manier waarop ze articuleerde, maakte haar uniek.

Het werd laat. De zaal was al bijna leeg; er stonden nog maar twee groepjes mensen te babbelen en te lachen. Ik dacht dat ze op haar wachtten om samen te gaan eten of iets te gaan drinken. Toen degene die voor me in de rij stond haar bedankte en wegliep, slaakte Cecília Sicília een zucht als om te zeggen: 'Ik ben bijna klaar, eindelijk.' Ze keek even met een vermoeid gezicht om zich heen, richtte

ten slotte haar blik op mij en schonk me een niet echt ge-
meende glimlach terwijl ze zei: 'Hallo, zeg het maar.'

En toen, alsof het uit de lucht kwam, kreeg ik het idee
waarnaar ik al sinds mijn telefoontje naar de uitgeverij
een paar weken eerder had zitten zoeken.

'Ja, hoi, het zit zo: mijn zus, die heeft jouw boek gelezen
en ze is dol op je...'

Natuurlijk had ik ook kunnen zeggen dat ik degene was
die gek op haar was, maar de geschiedenis heeft ons altijd
misleid en ons laten geloven dat we onaantastbaar moeten
zijn, dat we onze zwaktes niet mogen tonen, en de aan-
trekkingskracht die ik begon te voelen voor die vrouw die
ik niet eens kende, was ongetwijfeld de grootste zwakte
die ik ooit had gehad. Daarom gebruikte ik Sira toen.

'... en dus, eh... ik heb het boek even gepakt, zonder dat ze
het doorhad, zie je wel. Het is helemaal stukgelezen, eh...'

'En...?' vroeg ze ongeduldig.

'Nou ja... eh... ja... zou je het kunnen signeren? Dat idee
van rood gras is eigenlijk heel poëtisch, weet je... en het is
echt een ongelooflijk toeval, want mijn moeder...'

'Hoe heet je zus?' onderbrak ze me.

'Mijn zus. Ja, eh... Sira.'

'Sira. Mooie naam.'

'Ja.'

'En jij? Hoe heet jij?'

Wilde ze mijn naam weten? Waarom? Had ze oog voor
mij?

'Ik... Nil.'

'Nil... Zo...' Ze begon te schrijven, en mijn hart stond
ineens stil, omdat ik begreep dat ze mijn naam alleen

maar wilde weten om die bij de opdracht te schrijven. Ik wachtte even terwijl ze de pagina volschreef, en toen ze haar blik weer op mij richtte om het boek terug te geven, zei ik snel en zonder erbij na te denken: 'Zeg eens, mijn zus heeft altijd schrijfster willen worden en... en... en ze heeft veel verhaaltjes thuis en ze vraagt mij altijd om ze te lezen en om mijn mening te geven, maar ja, ik... Ik kan echt niet onpartijdig zijn. Het is toch mijn zus, snap je? Dus... ik weet het niet, zou je... Zou je ze misschien een keer kunnen lezen en er iets over willen zeggen?'

Ik weet ook wel dat ze me makkelijk doorhad, dat ik weinig kans maakte om haar voor de gek te houden, en dat het waarschijnlijk voor iedereen beter was geweest als ik niet in dat wespennest was beland, maar op dat moment dacht ik nergens aan. Ik werd meegesleept door een soort verlangen dat langzaam veranderde in een obsessie.

Eenzaamheid geeft je vrijheid, maar zet je ook aan tot risico's. Toen deze geschiedenis begon was ik al vier jaar het huis uit. En dat betekende dat ik kon gaan en staan waar ik wilde zonder dat er iemand vroeg waar ik vandaan kwam of waar ik naartoe ging. Dat was de eerste portie vrijheid die ik ondervond. En die zorgde ervoor dat ik gaandeweg een nieuwe kant van mezelf leerde kennen, een gewaagdere kant, moediger, die durfde te gaan voor wat ik echt wilde, die zelfs durfde te liegen om dat te bereiken. Wanneer de mensen die van ons houden niet te dicht in de buurt zijn, kunnen we een andere kant van onze persoonlijkheid ontwikkelen, iets wat we tot dan toe niet durfden te laten zien. We kunnen meer experimenteren, omdat niemand iets van ons verwacht; niemand verwacht dat we zijn zoals we altijd geweest zijn; niemand zal zeggen: 'Wat ben je veranderd!', of: 'Maar zo ben je helemaal niet!', of: 'Dit had ik echt niet van jou verwacht.' En hoewel ze het tegendeel proberen te beweren, zitten deze uitspraken altijd vol verwijten, omdat ze de angst verhullen dat de verandering de relatie beïnvloedt, waardoor de ander zich gedwongen zal voelen zijn beeld van jou bij te stellen of zijn manier van doen te veranderen. En laten we eerlijk zijn: verandering is het meest beangstigende wat er is.

Maar dit zijn allemaal theorieën. De werkelijkheid is altijd ingewikkelder. En werkelijk was dat toen ik dat gesprek met Cecília begon, ik niet wist waar het ons allemaal zou brengen. En bovenal was het geen moment in me opgekomen dat alles zou uitlopen op een contactverbod.

Dus toen ik vroeg of ze de denkbeeldige verhalen van mijn echte zus wilde lezen, keek Cecília me aan met een blik vol ongeloof, of misschien vond ze me dom. Hoe dan ook, uiteindelijk zei ze dat ze het zou doen, dat ze het geen probleem vond om even een blik te werpen op de verhalen van mijn zus. Ik moest ze maar naar de uitgeverij opsturen in een envelop met daarop duidelijk geschreven dat die naar haar doorgestuurd moest worden; op die manier zou ze hem zonder probleem ontvangen.

Ik pakte het boek met trillende handen aan en verliet het auditorium alsof de wereld van kleur was veranderd. Ik kreeg een heel vreemd gevoel en dacht aan Sira en aan haar gele dagen, die een voorbode voor succes waren.

Het is makkelijk om mij te veroordelen, zo, als buitenstaander, vooral nu ik met het hart op de tong praat. Ik verwijt het je niet. Zo zijn we opgevoed: om te oordelen, om in hokjes te verdelen, om in te schatten. Het is nodig om te overleven. Ik vraag je alleen maar om even rustig na te denken, om de mogelijkheid te overwegen dat dit allemaal ingewikkelder is dan je nu denkt. Met 'ingewikkelder' bedoel ik moeilijker in te delen, met meer nuances.

Misschien omdat ik aan Sira dacht en aan haar gele hemels schoot al dat gedoe over die apocalyptische kikkers opeens door mijn hoofd. Ik bedacht dat als Sira ooit iets zou durven schrijven, ze zeker over kikkers of over een apocalyps of over apocalyptische kikkers zou schrijven, want zoals Cecília Sicília net in haar lezing had gezegd: de meest authentieke reden om te beginnen met schrijven is de behoefte een mysterie op te lossen. Het gaat niet om een mysterie dat de auteur voor de lezer achterhoudt, maar om een mysterie dat de auteur zelf nog moet oplossen. Toen, geïnspireerd door vage anekdotes, begon ik een verhaal te schrijven over een eenzame kerel die zich op een keer als duiker kleedde en zo zijn huisgenoot verjoeg. Omdat ik geen zin had om een naam voor de hoofdpersoon van het verhaal te bedenken, en omdat er nog ergens een kikker in moest voorkomen, noemde ik hem de bioloog die kikkers bestudeerde.

Ik dacht vaak aan Sira toen ik me in dat gedoe stortte. Ik dacht eraan dat zij nog niet de vrijheid had gevonden om iemand anders te zijn, om vrij te mogen beslissen over hoe ze in de wereld wilde staan, anders dan hoe zij bij onze ouders was. Ik vermoed dat ik als een goede oudere broer haar had moeten bellen, met haar had moeten praten, om haar te laten weten dat we ondanks de scheiding van onze ouders en het feit dat ik niet meer thuis woonde nog altijd broer en zus waren, en dat we dat ons hele leven zouden blijven. Maar als we toen we onder hetzelfde dak woonden al uit verschillende landen leken te komen en andere talen leken te spreken, hoe kon ik dan nu, van een afstand, herwinnen wat nooit had bestaan?

Terwijl ik Sira's naam gebruikte om mijn verhalen te ondertekenen en te doen alsof ze van haar waren, voelde ik me dichter bij haar dan ooit. Ik wilde haar graag vertellen dat ik Cecília had leren kennen en dat ik een glansrijke toekomst voorzag, maar opeens, toen ze in gedachten dichterbij was en ik mezelf al met de telefoon in mijn hand zag staan, op het punt om haar te bellen, voelde ik een vage benauwdheid, een bijna onmerkbare huivering, en was ik bang dat mijn verhaal over Cecília haar helemaal niets kon schelen. Opeens fantaseerde ik dat ze als een actrice uit een televisieserie de telefoon oppakte en zei: 'O, hallo, wat is er?', en dat ik stilviel en snel iets zei over een etentje dat mijn vader de week erop wilde organiseren.

De geoloog en de amfibieën

De geoloog die aardbevingen bestudeerde had een tijdlang theorieën gehoord over allerlei soorten dieren die aardbevingen konden voorspellen, omdat ze die om de een of andere reden eerder konden voelen dan mensen, en als er een ramp op komst was gedroegen ze zich heel vreemd. De nieuwste theorieën concentreerden zich op amfibieën. Slangen verlieten bijvoorbeeld de laag in de grond waar ze normaal gesproken zouden overwinteren en kikkers trokken weg uit de gebieden waar ze steevast paarden. Deze dieren waren in staat om hun natuurlijke cyclus in de steek te laten om bescherming te zoeken voor iets wat er nog niet was, omdat ze eerder dan mensen de dreiging van een ramp konden voelen.

De geoloog die aardbevingen bestudeerde had het liefst met eigen ogen al die natuurverschijnselen willen zien, maar het management van het lab had duidelijk gemaakt dat er geen geld was om te verspillen aan onderzoeken naar iets wat aan die kant van de wereld zelden voorkwam zoals het schokken van de aardkorst. En dus legde hij zich erbij neer en bleef werken aan rapporten die zijn meerderen hem dicteerden en aan het onderzoeken van onbetekenende onderwerpen die al eerder onderzocht waren. Maar in plaats van te gaan lunchen met zijn collega's om met hen over voetbal en televisieprogramma's te praten, kocht hij elke middag een broodje in de bar De Oceaan, die onder het lab zat, en ging naar de dierentuin, waar hij twee uur lang de kikkers observeerde.

Hij bracht daar middag na middag door, observeerde de kikkers en schreef alles wat ze deden op. En na een tijd – misschien maanden of jaren – begon hij zich zorgen te maken elke keer dat een van de kikkers zich anders gedroeg, hoe miniem het verschil ook was, op een manier die niet helemaal bij het patroon paste – zijn patroon, het patroon dat hij bij zijn aantekeningen over kikkergedragingen had genoteerd. En er kwam een moment dat die kleine gedragsafwijkingen hem zo ongerust maakten dat hij toen het tijd was om terug naar het lab te gaan, dat op geen enkele manier voor elkaar kreeg. Hij probeerde het wel. Onder de blauwe hemel liep hij trillend van de dierentuin naar de straat waar het lab was en hij kwam tot bij de ingang. Maar toen hij daar stond, viel alles stil en hij kreeg het niet voor elkaar om het gebouw binnen te gaan omdat de angst voor een aardbeving hem verlamde.

Even later lukte het hem wel om in beweging te komen en keerde hij terug naar de dierentuin, waar hij de kikkers een paar uur langer observeerde, om tot de conclusie te komen dat ze allemaal terug in hun patroon waren en dat de afwijking van die middag een te verre aardbeving was geweest, of veroorzaakt werd door iets anders wat hij nog niet eerder had geregistreerd.

Zo verstreken de dagen en de middagen waarop hij steeds vaker niet naar zijn werk terugkeerde, totdat hij ontslagen werd.

De geoloog die aardbevingen bestudeerde, accepteerde

lijdzaam zijn ontslag en bedacht dat hij nu meer tijd zou hebben om kikkers te bestuderen. Maar diezelfde avond kreeg hij het steeds benauwder, en ten slotte besloot hij dat hij niet de hele nacht in een papieren zakje kon blijven ademen. Om drie uur 's nachts pakte hij de blauwe telefoon die hij cadeau had gekregen van zijn laatste ex-vriendin en belde de enige die hij meende te kunnen bellen: zijn zus.

Een vrouw nam op en zei: 'Wat is er aan de hand?'

'Er is niets. Maak je geen zorgen, het is niets dringends,' zei hij fluisterend.

'Als het niet dringend is, *why the fuck* bel je me dan midden in de nacht?'

'Nee... Ja... Sorry... Het is...'

'Het is niks! Jij schaamt je ook nergens voor! Meneer hangt maar wat de kunstenaar uit en belt gewoon wanneer het hem uitkomt! Weet je wat, klootzak?! Ik heb het helemaal gehad met jou!'

En de vrouw, die niet zijn zus was, omdat haar telefoonnummer op één eindigde in plaats van op twee, en die het spuugzat was dat haar ex-vriend haar telkens midden in de nacht belde om haar te vertellen over zijn nieuwe blauwe creatieve fase of om haar zijn wonderlijke ideeën voor een nieuwe kunstinstallatie uiteen te zetten, gooide de hoorn er met zo'n klap op dat de geoloog die aardbevingen bestudeerde als verstijfd naast het bijzettafeltje in de woonkamer bleef staan, met een *tuut tuut tuut* in zijn oor.

Een paar minuten later legde hij de hoorn op de haak en ging, boos op zijn zus, naar bed – zijn zus die hij al jaren niet had gezien en maanden niet had gesproken. Hij droomde over een nieuw soort kikker, een blauwe kikker

die door afwijkend gedrag te vertonen niet alleen aardbevingen voorspelde, maar ook de ophanden zijnde familie-
rampen.

4

Na *De regen van rood gras* kreeg Cecília een writer's block.

Sommige schrijvers kunnen maar één boek schrijven; ze hebben slechts één verhaal te vertellen. Als ze eenmaal de duiveltjes van dat eerste verhaal hebben verjaagd, krijgen ze vrede en is er niets meer wat hen drijft om nieuwe verhalen te bedenken.

Vanaf het begin dacht ik al dat Cecília's enige reden om de verhalen te lezen die ik haar stuurde juist was dat ze niets anders te doen had. Misschien las ze ze in de hoop dat die nogal slechte verhalen als vonkje zouden kunnen dienen om nieuwe ideeën te krijgen. Misschien was ze zo eenzaam dat mijn geologen, biologen en acteurs haar eenzaamheid verlichtten.

'Je moet over de onderliggende structuur van je verhaal nadenken, Nil,' zei ze. En ze zei het alsof ik degene was die de verhalen had geschreven, alsof ze al wist dat ik het was. In het begin corrigeerde ik haar een paar keer; ik zei telkens dat niet ik, maar mijn zus Sira al die verhalen had geschreven. Maar ze geloofde het geen moment. Ze bleef maar volhouden dat ik degene was die moest leren schrijven.

'Je hebt een boodschap nodig, Nil,' zei ze almaar. 'Je moet weten waar je het over hebt. Waar wil je dat het verhaal over gaat, wat probeer je de lezer duidelijk te maken?'

Ik had geen idee, en ik antwoordde haar: 'Ik zal het Sira vragen. Ik weet echt niet wat ze ermee wilde zeggen.'

'En jij? Wat denk jij dat dit verhaal weergeeft?' vroeg ze dan terug.

'Hoe moet ík dat nou weten? Ik ben alleen maar de boodschapper.' Dan keek ze me aan met die ogen van haar die mijn hersens doorboorden, en keek ik weg.

Er gingen een paar maanden voorbij, terwijl we deden alsof alles om de verhalen draaide. Ik wist dat ik elke keer dat ze een nieuw verhaal van me las dichter bij mijn doel kwam. Ondertussen deed ik mijn uiterste best en kraakten mijn hersens om een nieuw verhaal te vinden. Soms kwam ik tussen de middag op school een van de leraren taal en literatuur tegen, en dan vroeg ik hem aanwijzingen om interessante verhalen te schrijven, maar ik kreeg nooit goede adviezen. Ze zeiden telkens dat als ik wilde leren schrijven, ik gewoon heel veel moest lezen, en anders moest ik maar een schrijfcursus gaan volgen. Ik deed geen van beide, maar volgde gewoon mijn intuïtie. Ik verzon verhalen die geïnspireerd waren op voorvallen die ik had meegemaakt, op mensen die ik kende of op filmpersonages. Ik vermengde ze op een bepaalde manier, overdreef ze, gaf ze een filmisch of romanesk tintje, en opeens had ik een verhaal dat de ideale smoes werd om Cecília weer te zien.

Dan stuurde ik het verhaal naar haar op. Ik stuurde het per post, net als vroeger. Nadat ze het had ontvangen, wachtte ze een week of twee. Alsof ze heel druk was, of tijd nodig had om het verhaal goed door te nemen. Vervolgens belde ze me op en spraken we af in een café. Zij nam altijd contact met mij op. Ik had haar telefoonnummer niet. Ik had niet eens haar adres; ik stuurde nog steeds alles naar de uitgeverij. Ze was net zo argwanend met haar adres en telefoonnummer als met haar imago. Ik mocht ook nooit een foto van haar maken.

Mijn wereld vulde zich met onzekerheid, met de vraag of ze me ooit weer zou bellen. En of we, als ze me belde, weer zouden afspreken om uren te vullen met literaire praatjes, of dat ze me zou vertellen dat ze er genoeg van had, van die stomme verhalen. Soms stelde ik me voor dat ze me belde om elkaar zomaar te zien, dat we de verhalen niet meer als excuus nodig hadden. Maar dat gebeurde niet.

De spanning van het wachten op haar telefoontje maakte me langzaam dood en hield me tegelijkertijd in leven. Het wachten duurde eindeloos, terwijl in de korte tijden die we samen waren de tijd tussen de woorden door glipte. Maar die momenten bliezen me nieuw leven in. De absurde hoop dat ik naast haar zou zitten, dicht bij haar, had ik nodig om te kunnen blijven schrijven.

Ik vroeg me vaak af of dat toneelstukje met de verhaaltjes zin had, of Cecília ooit verder zou kijken dan de woorden die ik haar stuurde om te ontdekken wie ze voor zich had, wie ik was. En ik kwam telkens uit bij dezelfde conclusie: als ze me bleef lezen en bellen, was het omdat ze iets van me wilde.

Cecília was een dolende geest, net als ik. Hoewel dat ons bij elkaar had kunnen brengen, gebeurde juist het tegendeel. Want we zochten eigenlijk verschillende dingen, tegenovergestelde dingen. Zij was altijd een roofdier geweest.

'Ik zou Sira graag eens ontmoeten,' zei Cecília de volgende keer dat we elkaar zagen.

'Nee,' zei ik zonder na te denken.

'Hoe bedoel je, nee?'

'Het is beter van niet,' zei ik.

Ze keek me ongelovig aan en ik weerstond onverstoorbaar haar blik, tot ze vroeg: 'Wat is Sira voor iemand?'

'Wat bedoel je?'

'Hoe oud is ze, wat studeert ze? Als ik meer over haar zou weten, zou ik je beter kunnen helpen haar verhalen bij te schaven.'

'Sira studeert aan de toneelacademie. Ze wordt binnenkort twintig.'

'En hoe is ze?'

'Hoe ze is? Nou, net als alle meiden van twintig... Wat zal ik ervan zeggen?'

'Maar hoe zou je haar omschrijven? Wat voor iemand is ze?'

'Vroeger klom ze overal op. Ze was een tijd lid van een colla castellera, maar ze is er na een val mee gestopt, en ik neem aan dat ze nu verder in dat toneelgedoe is gedoken.'

'Je kent je zus niet eens!'

'Hoe bedoel je?'

'Je weet niet wat voor iemand ze is.'

Ik dacht even na.

'Mijn zus is mijn zus, punt uit. Ik heb nooit nagedacht over wat voor iemand ze is, want ik hoef haar niet in een hokje te stoppen.'

'En je ouders?'

'Wat is er met mijn ouders? Mijn ouders zijn gescheiden. Waarom wil je dat allemaal weten?' Ik had al maandenlang gehoopt op een gewoon gesprek, zoals nu gebeurde, waarin we elkaar alles over ons leven zouden vertellen voorbij de farce van de verhaaltjes, maar precies op het moment dat ze zo'n gesprek aanknoopte, voelde ik me niet op mijn gemak. Ik vertrouwde haar bedoelingen niet helemaal. Misschien omdat ik nooit echt geloofde dat ze geïnteresseerd in mij kon raken.

'Ik vraag het alleen omdat ik nieuwsgierig ben. Om meer te weten te komen over jou en je zus, omdat ik het vreemd vind dat je zus geen poging heeft ondernomen met mij in contact te komen nu ik haar verhaaltjes nakijk.'

'Maar...'

'Maar wat?'

'Nou, ze weet het dus niet.'

'Dat dacht ik al.'

'Sira is heel zuinig op haar verhaaltjes.'

'Ja...'

'En ik heb haar niet verteld dat jij degene bent die ze leest. Ze denkt dat het mijn mening is.'

We wisten allebei dat het één grote leugen was, en ik wachtte op het moment dat ze me met de rug tegen de muur zou zetten, maar hoe onbegrijpelijk ook, ze deed het niet.

Als je begint met liegen, kun je achteraf natuurlijk niets meer rechtvaardigen over wat je wel of niet hebt gedaan; je kunt je niet meer verdedigen tegen een beschuldiging, want alles wat je aanvoert zou een leugen kunnen zijn. Daarom vond ze het wel best dat onze ontmoetingen een schijnvertoning bleven. Daarom hielden we die in stand.

'En waarom schrijft je zus over kikkers?'

'Dat zijn haar ideetjes,' zei ik.

'Maar ze heeft wel iets met kikkers, toch?'

'Het is maar een onderwerp.'

'Ik denk niet dat het zomaar een onderwerp is. Er moet een reden zijn, bewust of onbewust, om altijd over een bepaald onderwerp te blijven schrijven.'

Ik bleef haar aankijken zonder te weten wat ik moest zeggen. Ik zag aan haar gezicht dat ze een antwoord wilde. Wat moest ik haar vertellen? Dat de castellers van de colla van Sira altijd naar hetzelfde café gingen en ze daardoor over kikkers was gaan schrijven? Wat een onzin!

Ik twijfelde even en zei toen: 'Sira heeft een moeilijke tijd achter de rug door de scheiding van mijn ouders.'

Daarna ontspon zich een gesprek waar ik geen controle meer over had. Terwijl we er een biertje bij dronken, kwam Cecília het een en ander te weten over de treurigheid van mijn familie, over een vriendinnetje dat me op de middelbare school had verlaten omdat ik liever naar films over de FBI en de CIA keek dan dat ik haar hand vasthield na school. En over de verboden knipperlichtrelatie die ik later met een docente op de universiteit had. En over de voetbalavonden met Sebas en de doelpunten die ik met een koprol vierde bij de bar naast de school. Uiteindelijk vertelde ik haar ook over Sira, en over De Apocalyptische Kikker en de castellers en hun gele hemels.

Tussen neus en lippen door lukte het me ook om Cecília iets over zichzelf te laten vertellen. Zo kwam ik achter haar leven als student taalkunde, haar succes met het boek en de slechte relatie met haar ouders, die volgens haar onder een brug of in de gangen van de metro bivakkeerden, of in een of ander opvangcentrum voor daklozen. En ze vertelde dat ze als kind bij het spelen vaak voor de grap haar hoofd in een lampenkap stak om zich te verstoppen voor haar ouders, en dat ze daarom die foto had gekozen voor de achterflap van haar boek en als publiciteitsfoto, want ze was ervan overtuigd dat haar ouders haar zouden herkennen als ze die foto ooit zouden zien.

Ik was ervan onder de indruk hoe ongekunsteld en nauwkeurig ze de meeste dingen vertelde, over haar relaties met mannen, de vervreemding van haar studievriendinnen en de afgebroken vriendschap met de vrouw die ze in het nachtleven had leren kennen, tot het onbegrip dat ze voelde jegens haar ouders.

Cecília kon niet begrijpen hoe een man en een vrouw die niet eens voor zichzelf konden zorgen, wie het niet eens lukte om zich staande te houden in hun eigen sociale milieu, zo makkelijk hadden besloten om een nieuw leven – dat van haar – op de wereld te zetten.

Zonder zelfs maar mijn mening erover te vragen, besloot ze dat mijn ouders en de hare tot dezelfde categorie behoorden: de categorie van onverantwoordelijke mensen die kinderen namen omdat ze dachten dat dat hun leven zou verbeteren, terwijl ze alleen maar een nieuwe verloren ziel op de wereld zetten.

Ik sprak haar niet tegen, hoewel ze zich in mijn ouders vergiste. Ik liet haar een illusie scheppen van lijden, van gedeelde eenzaamheid, omdat ik dacht dat het de weg naar mijn doel effende.

Die dag nam ik afscheid van haar in de denkbeeldige hoop dat we een beetje dichter bij elkaar waren gekomen.

De schrijver die kikkers verzon

De kinderboekenschrijver had kikkers gekozen omdat hij ze klein en grappig vond. Hij had zich vijf jaar geleden ingeschreven bij de afdeling Kinderliteratuur van de vereniging van schrijvers. Het was een moderne vereniging, die een eigen internetpagina had. De schrijver die kikkers verzon liep soms binnen bij een van de cybercafés die zich in de stad begonnen te verspreiden en dan keek hij naar de website van de vereniging en zocht zichzelf op. Hij vond zijn naam altijd na die van een van de beste kinderboekenschrijvers aller tijden, en voor die van een nietsnut zoals hijzelf.

Maar op een dag was er een probleem bij de vereniging en hun website raakte ontregeld. Tijdens de reparatie raakte de werknemer van het IT-bedrijf in de war en vanaf dat moment was de naam van de schrijver niet meer te vinden tussen de superheld van de jeugdliteratuur en de supernietsnut die hem tot dan toe gezelschap hadden gehouden. Hij raakte verzeild op de lijst van sciencefictionschrijvers. Een bijna onwaarneembare vergissing, die alleen hem trof.

Een paar weken later was de schrijver die kikkers verzon een groene salade aan het eten terwijl hij naar het nieuws op televisie keek, toen hij een pakketje thuisbezorgd kreeg dat zijn leven had kunnen veranderen. De afzender was de FBI en er zat een mobiele telefoon in, en een brief waarin hij samen met andere schrijvers uitgenodigd werd voor een geheime vergadering met drie bazen van de Intelligence-afdeling. De brief benadrukte dat de aanleiding voor de vergadering was dat men een beroep wilde doen op de schrijvers om hun creatieve vermogens in te zetten voor een *top secret*-aangelegenheid, en sloot af met de eis tot absolute geheimhouding. De ontmoeting zou de volgende dag plaatsvinden en een uur voor de vergadering zouden alle schrijvers een bericht op het bijgesloten mobieltje ontvangen, met de exacte locatie van de bijeenkomst.

De schrijver die kikkers verzon keek naar het futuristische apparaat en las de brief opnieuw. Waarom wilde de FBI in godsnaam zijn diensten? Hij was niet meer dan een middelmatige schrijver van kinderverhalen.

Die nacht sliep hij amper. De uren gingen voorbij, terwijl hij zich voorstelde dat hij gevraagd werd een merkwaardig stel kikkers te analyseren die op een onbewoond eiland waren gevonden. Maar hij was toch maar een schrijver?!

Toen de dag aanbrak, stond hij op en maakte sap van komkommer en olijven, zoals zijn osteopaat hem had aanbevolen. Met zware oogleden en troebele ogen pakte hij de mobiele telefoon van de FBI en ging de deur uit. Hij slenterde door het centrum van de stad in afwachting van het bericht dat hem zijn bestemming zou wijzen. Hij had de telefoon in zijn hand en keek er af en toe naar. Hij had geen idee hoe de beltoon zou klinken, en hij wist niet waarop hij moest drukken als hij gebeld werd. Terwijl hij rondliep verzon hij een nieuw verhaal, waarin een pad verliefd werd op een kikker die niet groen was.

Uiteindelijk hoorde hij een kort en scherp geluid uit het apparaat komen. Hij keek ernaar, drukte op de grootste knop en zag het bericht: *10.30 a.m. at 8 Emerald Street*. Hij borg het toestel op en bleef even staan. Emerald? Emerald? Dat betekende smaragd, toch? Hadden ze de straatnaam vertaald? Waar was de Smaragdstraat? Hij had er nog nooit van gehoord. Hij keek om zich heen en besloot het te vragen aan een man die een paar honden uitliet. De man keek hem verbaasd aan en zei dat hij ook nooit van die straat had gehoord. Nadat hij het nog twee andere mensen had gevraagd, die hem ook niet konden helpen, besloot hij een gok te wagen bij een taxichauffeur, die hem met onwrikbare zekerheid antwoordde dat die straat niet bestond.

De schrijver die kikkers verzon bracht zijn ochtend door met door de straten slenteren en straatnamen lezen, op zoek naar de Smaragdstraat. Tegen de middag ging hij terug naar huis; hij borg de telefoon op in dezelfde doos waarin deze gestuurd was en ging zijn lunch klaarmaken. Ondertussen dacht hij dat een gewetenloos iemand hem flink voor de gek had gehouden.

Pas een paar dagen later kwam de schrijver die kikkers verzon erachter dat het mobieltje en de uitnodiging van de FBI echt waren. Het was een lome vrijdag in de lente en hij liep in de richting van de uitgeverij voor een vergadering met de illustrator van zijn boeken, toen hij besloot dat hij nog wel even tijd voor een kopje koffie had. Als tijdverdrijf las hij wat artikelen in een van de meest prestigieuze kranten van het land, en op pagina 16 kwam hij een krantenkop tegen die alles verklaarde wat hij de laatste dagen onverklaarbaar had gevonden. De kop luidde: 'Groep sciencefictionschrijvers heeft een ontmoeting met de FBI om mogelijke toekomstige rampen te inventariseren.'

5

En toen was het opeens stil. Ik stuurde nog een verhaal naar Cecília, maar ze belde me nooit meer terug. Ik nam contact op met de uitgeverij om me ervan te verzekeren dat ze mijn laatste verhaal wel had ontvangen, wat bevestigd werd, maar de weken gingen voorbij en mijn telefoon rinkelde niet. Mijn leven kwam tot stilstand. Mensen om me heen bleven in beweging, maar ik ging nergens heen; ik was verankerd in een eindeloos wachten dat het me onmogelijk maakte me te bewegen. Mijn leven had geen zin meer en ik nam mijn toevlucht tot films. In de weekends bleef ik thuis met de telefoon binnen handbereik en bekeek een stuk of tien films achter elkaar. De meeste nachten lag ik wakker en in de weinige uurtjes waarin het me lukte te slapen werden mijn dromen gevuld met herinneringen aan momenten die ik met Cecília had doorgebracht. Bij het ontwaken, op dat vreemde ogenblik dat nog niet alle zintuigen wakker zijn, hoopte ik dat mijn droom de werkelijkheid was en mijn leven een nachtmerrie.

Ik weet dat het belachelijk is, dat je niet op deze manier verliefd zou moeten worden op iemand die je nauwelijks kent. Maar soms worden we door verhalen gegrepen, laten we ons door bepaalde mensen gevangennemen, die ons hypnotiseren, en ik was gehypnotiseerd door Cecília Sicília. Ik was in haar val gelopen en ik wist niet hoe ik eruit moest komen.

Door het slaapgebrek raakte ik de kluts kwijt. Op school werden de kinderen in mijn ogen steeds kleiner; ze leken steeds verder weg, en hun stemmen werden gaandeweg zachter, toonloos. Als ze vragen stelden, leek het alsof ze een andere taal spraken, een onverstaanbare en verdraaide taal.

Op een ochtend deed de wekker me wakker schrikken na een zeer korte slaap. Ik stond verkleumd op en kreeg het vreemde gevoel dat ik in een film was beland, dat ik mijn gewone leven had achtergelaten om een acteur te worden die de rest van zijn leven de rol van geschifte wiskundeleraar moest vertolken. Onderweg naar school meende ik dat iedereen die ik op straat tegenkwam een figurant was die was ingehuurd om mijn leven geloofwaardiger te maken. Ook de kinderen in de les waren eigenlijk acteurs. Die dag ging ik het leslokaal in, wiste het bord schoon en kalkte in enorme letters: HET RODE GRAS. Daarna draaide ik me om, wachtte totdat de klas helemaal stil was en vroeg toen een bleek kind met pikzwarte ogen: 'David Costa! Welke kleur heeft gras?'

Het kind barstte in lachen uit en de rest van de klas ging daarin mee. Ik bleef stokstijf staan en wachtte totdat het weer stil was. Toen zei ik, op luidere toon: 'Ik heb je een vraag gesteld!'

Het kind trok een verward gezicht en bleef me aankijken. Uiteindelijk antwoordde hij fluisterend: 'Groen.'

Ik keek hem strak aan en mijn ogen schoten vuur toen

ik zei: 'Ik dacht al dat je dit zou zeggen.'

Er ontglipte hem een nerveuze glimlach maar ik bleef hem kwaad aankijken. Toen verging het lachen hem; hij keek naar de kinderen die links en rechts van hem zaten, allemaal met gebogen hoofd, en boog zelf zijn hoofd ook naar beneden.

Ik keek de hele klas rond, maar geen enkel kind sloeg zijn ogen op. Ze keken allemaal naar hun lessenaars. Ik liep naar David Costa's tafeltje, steunde met mijn handen op het tafelblad en zei heel langzaam: 'Weet je zeker dat gras groen is?'

Hij keek me aan, en toen zag ik de paniek in zijn gezicht. Ik bleef hem aankijken, totdat zijn ogen rood werden. Zo rood als gras, dacht ik.

Plotseling begreep ik dat ik niet in een droom zat, en ook niet in een film, maar dat ik gewoon in mijn leslokaal stond. Al die angstige kinderen waren geen acteurs, maar leerlingen die een les in driehoeken en andere veelhoeken van mij verwachtten. Ik twijfelde een minuut lang. Ik overwoog weg te rennen, de klas uit te lopen om er nooit meer een voet te zetten, maar besloot om me gewoon naar het bord om te draaien, terwijl ik een manier zocht om zo goed mogelijk uit die verwarring te komen zonder iemand schade te berokkenen. Met mijn neus slechts een handbreedte van de groene en stoffige oppervlakte verwijderd, voelde ik twintig paar ogen op mijn rug gericht; ik voelde de zware stilte die ik zelf had gecreëerd en deed mijn ogen dicht.

Ik weet niet hoe lang het duurde voordat ik mijn ogen weer opende, maar op dat moment raakte mijn neus het bord al. Ik deed een stap achteruit en las de tekst die ik had geschreven: HET RODE GRAS. Ik bleef even naar de letters kijken, terwijl de kinderen in doodse stilte achter me zaten. Ten slotte pakte ik de bordenwisser en wiste langzaam de zin uit. Toen ik me weer wilde omdraaien, hoorde ik dat de deur van het lokaal openging. Ik dacht dat een van de kinderen probeerde te ontsnappen om de directeur te gaan waarschuwen, en om dat te voorkomen draaide ik me met een ruk om, maar zag toen dat alle kinderen gewoon op hun plek zaten. Ik zag alleen maar hun nekken, want ze hadden zich allemaal omgedraaid. In de deuropening verscheen een onbekend gezicht, dat zei: 'Oeps, sorry... ik heb me vergist.' En de deur ging weer dicht.

De leerlingen keerden zich een voor een weer naar het bord. Maar geen van hen keek me aan. Hun blik cirkelde rond het lege bord.

Toen haalde ik diep adem en zei: 'Oeps, sorry... Ik heb me vergist.' Ik zweeg even en daarna begon ik zacht te lachen. Langzaam begonnen alle leerlingen met me mee te lachen, behalve David Costa, die nog steeds probeerde zijn tranen weg te slikken.

Ik slaakte opgelucht een zucht, haalde wat papieren uit mijn bureaula terwijl ik wachtte totdat de klas weer stil was, en begon met de les alsof er niets gebeurd was.

Maar dat bleke kind met die koolzwarte ogen durfde ik nooit meer aan te kijken.

Ik weet heus wel dat ik misschien hulp had moeten inroepen, dat ik naar me moest laten kijken, omdat dit soort dingen niet normaal is. Maar toen ik merkte dat de kinderen eigenlijk dachten dat het een grap was, ging ik uiteindelijk zelf ook geloven dat dat zo was. Het probleem was dat de grap voor mij toen nog niet afgelopen was.

De maanden gingen voorbij en de herinnering aan Cecília werd steeds vager. Ik bleef verhalen schrijven waarvan ik droomde dat ze ooit verfilmd zouden worden, maar stuurde ze niet meer naar Cecília. Ik vermoedde dat ze geen tijd meer had om absurde verhalen te lezen waarvan ze heel goed wist dat ik ze schreef. Ik dacht dat ze hard aan het werk was aan een nieuw project. En ik vergiste me niet, want een tijd later trof ik haar foto weer in de krant aan, waarmee ze de komst van haar tweede boek aankondigde.

De eerste keer dat ik het omslag zag was ik verbaasd over de titel. Ik voelde me zelfs gevleid door de mogelijke relatie met mijn wereld, maar vermoedde nog niets. Natuurlijk niet. Wie had dat kunnen bedenken?

Het tweede boek van Cecília was getiteld *De apocalyptische kikker* en op de voorkant prijkte een foto van een gele hemel. Zodra het boek in de winkel lag, moest ik het hebben. Mijn ijdele zelf stelde zich voor dat mijn naam ergens zou voorkomen, al was het maar in het dankwoord, omdat ik de eerste was die haar over kikkers en gele hemels had verteld. Al stond er maar een kleine verwijzing in naar Sira, dan was ik ook al gelukkig geweest. Ik ging naar de boekhandel in de buurt en trof het boek op de 'net verschenen'-tafel. Ik bladerde erin en er liep een rilling over mijn rug. De roman van Cecília Sicília was niets meer en niets minder dan een collage van mijn verhalen.

Op een beschaafde manier probeerde ik wekenlang Cecília te spreken te krijgen. Ik belde naar de uitgeverij en vroeg om haar telefoonnummer. Eerst zei ik dat ik een vriend van haar was en dat ik haar nummer kwijt was; daarna begon ik te liegen en vroeg het nummer vanwege een urgente familiekwestie. Maar niemand hielp me. Telkens werd me gezegd dat ik mijn naam en telefoonnummer moest achterlaten en dat ze Cecília op de hoogte zouden stellen dat ik haar zocht.

Uiteindelijk vroeg ik Sebas om hulp. Ik vertelde niet het hele verhaal. Ik was bang dat als ik hem vertelde dat een schrijfster die een prijs had gewonnen haar tweede boek van mij had geplagieerd, Sebas zou denken dat ik gek was. En ik zou hem dat niet kwalijk hebben genomen.

'Weet je wat geweldig zou zijn?' zei ik tegen Sebas aan het einde van een Barça-wedstrijd die met veel pijn en moeite was gewonnen.

'Als het niet zo'n lijdensweg was om uiteindelijk te winnen...'

'Nee, als je me zou helpen om Cecília Sicília te ontmoeten.'

'En wie is dat dan?'

'Een schrijfster die ik graag wil leren kennen. Ik heb haar boek namelijk, weet je. En ik moest sterk aan mijn zus denken, door de titel en het omslag. Daarom zou ik haar graag willen leren kennen.'

'Dus?'

'Misschien... zou je kunnen doen alsof je een journalist bent van een of andere lokaal krantje, om een interview met haar te regelen.'

'Waarom doe je niet zelf alsof je een journalist bent?'

'Ze kennen mijn stem al bij de uitgeverij. Ik heb al vaak gebeld om met haar af te spreken en ze hebben me door.'

'Maar wat wil je dan van me? Moet ik haar interviewen?'

'Nee. Je hoeft alleen maar een afspraak met haar te maken, in een café. De dag van het interview hoef je er niet heen; dan zal ik gaan.'

'Je bent gek, man.'

'Wil je me helpen?'

'Hoor eens, ik zal een keer bellen, en als het me lukt, prima, en als het niet lukt, dan is het jammer. Oké?'

Ik vertelde Sebas wat hij allemaal moest zeggen als hij de uitgeverij belde. Het lukte hem een afspraak te plannen voor de week erop.

Op de afgesproken dag kwam ik een uur eerder in het café en ik ging zitten aan een tafel in een hoek, een beetje uit het zicht, maar met mijn gezicht naar de deur.

Tien minuten na de afgesproken tijd kwam Cecília binnen met een andere vrouw. Ik dacht dat zij iemand van de uitgeverij moest zijn. Cecília ging aan een tafel zitten, terwijl de andere vrouw rondkeek – op zoek naar de journalist, nam ik aan. Daarna ging ze naar de bar om iets te bestellen. Ik twijfelde of ik gebruik moest maken van het moment dat Cecília alleen was, of dat het beter was te wachten totdat de andere vrouw er ook bij was, zodat Cecília niet zomaar weg zou kunnen lopen.

Ik wachtte een paar minuten. Ze zaten rustig te kletsen. Toen liep ik naar hun tafel. Cecília zat met haar rug naar me toe.

'Hoi, Cecília,' zei ik en ik probeerde verbaasd te klinken door het toeval. Ze keerde zich om en haar gezicht werd lijkbleek. Ik ging naast haar zitten. Het leek me dat de vrouw van de uitgeverij twijfelde of ik de journalist was of een vriend van Cecília.

'Wat doe jij hier?' vroeg ze.

De vrouw van de uitgeverij zag het opgelaten gezicht van Cecília en kwam tussenbeide.

'Werk je voor het culturele tijdschrift?'

'Wat? Nee. Ik ben een vriend van Cecília.'

'Dit is die etterbak!'

'De lastpost van de telefoontjes?' vroeg de vrouw van de uitgeverij.

'Cecília, ik wil alleen maar even met je praten,' probeerde ik nog.

'De gek van de telefoontjes en de brieven!'

'Waar heb je het over? Cecília, geef me vijf minuten om met je te praten! Waarom doe je zo moeilijk?'

'Marta, we gaan,' zei Cecília, en ze stond op. Ik stond ook op.

'En het interview?' vroeg Marta.

'Ik wil geen interview.'

Marta stond op en pakte haar jas en handtas, toen Cecília haar opeens tegenhield.

'Nee, wacht. Ik ga. Jij blijft hier met hem; dan kun je erop letten dat hij me niet volgt. Die vent is gevaarlijk.'

'Maar Cecília, waarom doe je dit? Ik wil alleen maar praten.'

'Zie je, Marta? Hij zegt dat hij wil praten. Praat jij dan maar met hem. Ik hoor het wel of hij nog iets zinnigs te zeggen heeft.' En ze deed een paar passen in de richting van de deur.

Toen had ik geen andere keuze. Want ze ontglipte me. Ik voelde dat als ze nu wegging, ik haar nooit meer zou zien. En ze was zo dichtbij, zo dichtbij, en ze was zo gemeen tegen mij, zo wreed, dat ik geen andere optie zag dan haar arm grijpen en haar tegen de muur duwen en tegen haar te schreeuwen dat ze naar me moest luisteren.

'Ik moet met jóú praten, Cecília,' zei ik boos, terwijl ik haar arm stevig vasthield.

'Laat me los! Laat me gaan!' schreeuwde ze.

'Cecília, doe niet zo moeilijk. Ik wil alleen maar met je praten!'

'Bel de politie, Marta! Bel de politie!' riep Cecília uit.

Toen realiseerde ik me dat het hele café naar ons keek en

dat de ober in de verte begon te brullen en dat de wereld weggleed door een gat in de grond, een gat dat afgedekt had moeten zijn, maar dat niet was. Want ik had Cecília onderschat. Ik had haar woorden niet serieus genomen en realiseerde me dat ik nu volledig in haar handen was.

Ik liet Cecília los en rende het café uit.

De vrouw van de uitgeverij en de ober hadden mijn gezicht goed kunnen zien. Dat was denk ik het laatste wat Cecília nog nodig had om haar plan af te ronden. Er was zoveel gebeurd, en als je alle details achter elkaar zet, kun je alleen maar tot de conclusie komen dat Cecília een doortimmerd plan moest hebben gevolgd vanaf de dag dat ze mijn eerste verhaal ontving. Maar ik had zoiets nooit verwacht.

Diezelfde avond besloot ik het hele gedoe achter me te laten. Toen ik thuiskwam, gooide ik de foto weg waar alles mee was begonnen. Ik wilde de afgelopen twee jaar uitwissen, Cecília uit mijn leven schrappen en nooit meer aan regens van rood gras, apocalyptische kikkers of gele hemels denken.

Ik hoopte dat Sira nooit het omslag van dat boek in een boekhandel zou tegenkomen, en dat Sebas me niet zou bellen om te vragen hoe mijn ontmoeting met de mysterieuze schrijfster was gegaan. Ik wilde dat alles wat er was gebeurd langzaamaan kleur zou verliezen, dat het zou vervagen en zou oplossen, om uiteindelijk een vage herinnering te worden van het soort dat geen pijn doet, waarbij je slechts een wenkbrauw optrekt terwijl je denkt: wat was ik dom, wat was ik naïef. Of: hoe kon ik me zo laten misleiden. En: dit gebeurt me nooit meer.

6

Een paar weken na het incident in het café kreeg ik een
aangetekende brief:

> Krachtens de opdracht in de betreffende aanmaning wordt
> u bij dezen verzocht op 17 juni 1999 om 09.40 uur te ver-
> schijnen ter zitting van de rechtbank, voorzien van deze
> aanschrijving en uw identiteitsdocument, teneinde gerech-
> telijke stappen te ondernemen die voor u van belang zijn.
> Indien gedaagde niet op de voorgeschreven tijd en wijze ver-
> schijnt, en geen rechtmatige reden voor zijn afwezigheid
> kan aanvoeren, zal de rechtbank oordelen ingevolge de wet-
> telijke kaders.

Het voelde alsof er plotseling een lont was aangestoken,
die langzaam maar zeker begon te branden, maar waarvan ik niet wist of er aan de andere kant een rotje was bevestigd of een pak met vijfhonderd kilo buskruit.

Op de aangegeven dag ging ik naar de rechtbank, ervan
overtuigd dat de ouders van David Costa mij hadden aangegeven voor het incident in de klas met hun zoon. De
ambtenaar die me ontving vroeg me of we op mijn advocaat moesten wachten. Ik zei dat ik geen advocaat had. De

man bracht me naar een wachtkamer en een halfuur later kwam hij terug. De pro-Deoadvocaat zou nog een tijd op zich laten wachten en de ambtenaar drong erop aan dat we gewoon zouden beginnen met mijn verklaring, want hij had veel werk te doen. Ik stemde erin toe om te beginnen zonder advocaat.

De ambtenaar opende een map, pakte een pen en schraapte zijn keel.

'Mag ik uw volledige naam, alstublieft?'

'Nil Biada Martí.'

'Burgerservicenummer?'

'45.897.236Y.'

'Oké, dan beginnen we nu met uw verklaring. Kent u mevrouw Blanca Rodríguez?' vroeg hij.

Ik was even in de war.

'Blanca? Nee.'

'U kent haar niet?' herhaalde de ambtenaar.

Ik dacht aan David Costa... Wat was zijn tweede achternaam? Rodríguez zeker niet, maar wat dan wel? Hoe heette hij toch voluit?

'Nee,' herhaalde ik.

'Weet u het zeker?'

Misschien was er een ander kind in de klas dat wel Rodríguez als tweede achternaam had?

'Is dat de moeder van een van mijn leerlingen?' vroeg ik.

'Welke leerling?' vroeg de ambtenaar met de pen op het blad gericht.

'Dat weet ik dus niet. Daarom vraag ik het.'

De man keek me met een vijandige blik aan.

'Kent u mevrouw Blanca Rodríguez?' herhaalde hij.

'Nee, ik ken niemand met die naam, maar ze zou de moeder van een van mijn leerlingen kunnen zijn, van wie ik de naam vergeten ben.'

'Mevrouw Blanca Rodríguez? Ze zou heel goed de moeder van een van uw leerlingen kunnen zijn, maar ze zou het ook niet kunnen zijn. Goed, laten we het anders doen. Waar was u op 7 mei jongstleden?'

'Geen idee. Dat is meer dan een maand geleden... Wat voor een dag was dat?'

'Vrijdag.'

Ik deed mijn best om te achterhalen op wat voor dag het incident met David Costa had plaatsgevonden en ik bedacht dat het zeker geen vrijdag kon zijn, want de volgende dag was ik weer naar school gegaan.

'Als het een vrijdag was,' zei ik, 'dan was ik waarschijnlijk de hele dag op school en 's avonds was ik misschien uit met een vriend.' Precies op dat moment realiseerde ik me dat op die bewuste vrijdag de laatste ontmoeting met Cecília was geweest, in het café waar ze een interview dacht te geven. Ik neem aan dat mijn gezicht boekdelen sprak, want de ambtenaar drong aan: 'Wat hebt u gedaan op 7 mei in de middag?'

'Ik weet het niet meer.'

'Maar misschien weet u nu toch wel wie mevrouw Blanca Rodríguez is?'

'Nee.' Ik dacht even dat de vrouw van de uitgeverij die met Cecília mee was degene kon zijn die Blanca heette; maar nee, ik herinnerde me dat ze Marta heette. En opeens viel het kwartje: Cecília. Cecília was Blanca Rodríguez.

'Hebt u ooit naar dit telefoonnummer gebeld?' vervolgde de ambtenaar. Hij liet me een nummer zien tussen verschillende regels tekst.

Ik zei niets. Ik had toch het recht om de vraag af te wijzen? Dat had ik weleens in films gezien.

'Luister, jongen,' zei de ambtenaar. 'Als je echt niets

hebt gedaan, is het gewoon beter als je alles vertelt wat je weet; dan kunnen een rechtszaak en een overvloed aan werk gespaard worden. Als je vandaag al begint met geheimpjes, wordt alles met de dag ingewikkelder. Nog eens dan: hebt u ooit naar dit telefoonnummer gebeld?'

'Ja,' zei ik.

'Herkent u dit nummer?'

'Ja.'

'En wie wilde u spreken toen u dit nummer belde?'

'Waarom vraagt u me dit allemaal? Is alles goed met Cecília?'

De ambtenaar trok een wenkbrauw op.

'Wie is Cecília?' vroeg hij.

'Cecília Sicília. De schrijfster.'

'Cecília Sicília?' herhaalde hij, terwijl hij in zijn dossiermap door een aantal pagina's bladerde en de documenten snel doorlas. 'Weet u waar mevrouw Cecília Sicília woont?'

'Nee, ik heb altijd contact met haar gezocht via de uitgeverij.'

'Hoe bedoelt u? Hoe nam u contact met haar op?'

'Ik stuurde de brieven die voor haar bestemd waren naar de uitgeverij, en de uitgeverij stuurde ze door.'

'Dus u stuurde brieven naar mevrouw... naar de schrijfster?'

'Ja.'

Opeens ging de deur open en kwam er een man binnenstormen.

'Zijn jullie al begonnen?' vroeg hij verbaasd.

'De gedaagde heeft zich daar niet tegen verzet,' zei de ambtenaar.

De bezwete en zenuwachtige man bleek mijn pro-Deoadvocaat te zijn. Hij maande me niets meer te zeggen, pakte me bij mijn arm en zei tegen de ambtenaar: 'Voordat je hem meer vragen stelt, wil ik hem alleen spreken.'

De man vroeg me hem te volgen. Het was elf uur en we gingen koffiedrinken in een café vlak bij de rechtbank. Hij stelde me vragen over Cecília. Hij wilde weten hoe onze relatie was geweest, hoe vaak per week we elkaar zagen, hoe vaak ik haar belde, hoeveel brieven ik haar had gestuurd. Ik vertelde de waarheid: het enige wat ik wilde was haar leren kennen. Toen hij me ook ondervroeg over de 7de mei, zei ik opeens alles wat ik op mijn lever had gehad sinds ik me had gerealiseerd wat voor spel Cecília speelde.

'Ik weet dat wat ik nu ga zeggen vreemd zal klinken, maar ík zou Cecília moeten aanklagen en niet andersom. Haar tweede roman is plagiaat. De verhalen die ze heeft gepubliceerd zijn van mij.'

Toen kwam een vrouw gehaast de bar binnen, ging naast ons staan en vroeg de advocaat of hij de tijd vergeten was. Er wachtte blijkbaar al lang iemand op hem, in zijn kantoor. De advocaat zei dat het hem echt speet, maar dat we ons gesprek een andere dag moesten voortzetten. Hij schreef mijn telefoonnummer op en zei dat hij me zou bellen om door te geven hoe het met de voortgang van het proces ging.

Ik liep naar huis met het gevoel dat de lont die net was aangestoken heel lang was, dat het pak aan het andere uiteinde niet direct zou ontploffen, maar dat wanneer het dat zou doen, het een behoorlijk gat zou slaan.

Het schooljaar liep ten einde. Het leven viel opnieuw stil. Ik ging niet langer met Sebas biertjes drinken, ik nam de telefoon niet meer op, ik ging niet meer naar de lerarenvergaderingen, ik kwam niet meer in de supermarkt, ik douchte niet meer.

De advocaat ging op vakantie en ik moest mijn hele verhaal nogmaals aan een andere advocaat vertellen, en hij belde me voortdurend op met vragen die ik al had beantwoord.

De zomer ging voorbij en in september drong de directeur van de school erop aan om thuis te blijven. Ik kreeg ziekteverlof vanwege stress, of depressie, of misschien alleen maar omdat ze niet wilden dat ik weer bij de kinderen kwam. Ik wachtte de dag van de rechtszaak af alsof ik een ter dood veroordeelde was die hoopte op een wonderbaarlijke vrijspraak. Ik hoopte dat Cecília op een dag wakker zou worden en zich zou realiseren dat ze een grote fout had begaan en de aanklacht zou intrekken.

Na de zomer kreeg ik weer een andere advocaat, omdat de tweede na een motorongeluk in de ziektewet zat. De derde stelde dezelfde vragen als zijn voorgangers en ik antwoordde opnieuw hetzelfde. Bij de eerdere had ik telkens getwijfeld of ze me geloofden of niet, maar bij de derde was ik er vanaf de eerste dag zeker van dat hij niet geloofde in mijn onschuld.

Ik vroeg hem vaak of er een mogelijkheid was om Cecília te spreken, om haar van gedachten te doen veranderen, maar advocaat nummer drie zei dat dat onmogelijk was, dat als ik in contact met haar probeerde te komen, ik mijn situatie nog ingewikkelder zou maken.

Tijdens de rechtszaak legden veel mensen die ik nog nooit had gezien verklaringen af. Ze beschouwden me allemaal als een onvoorspelbaar en gevaarlijk iemand. De ober van het café en de vrouw van de uitgeverij verklaarden dat ik Cecília had aangevallen. De ouders van David Costa zeiden dat ik een gestoorde man was en dat hun zoon nog steeds bang voor me was. De vermeende vrienden van Cecília wisten allemaal dat ik al jaren geobsedeerd was door haar.

Ik kreeg een boete en een contactverbod.

Na de rechtszaak was ik bang. Ik was bang dat Cecília nog meer ging ondernemen om me nog verder de grond in te boren. Ik was bang om haar op straat tegen te komen – dat ze dan zou gaan schreeuwen en dat ik aangehouden zou worden wegens negeren van het contactverbod. Maar ik wilde niet dat die gewetenloze schrijfster mijn leven bleef beheersen zoals ze had gedaan vanaf de dag dat ik de dagvaarding had gekregen. Ik wilde opnieuw beginnen, vanuit het niets, maar ik wist niet hoe. Ik had geen baan en had ook de moed niet om er een te zoeken. De dagen waren eindeloos en ik bracht mijn tijd door met films kijken. Ik was ervan overtuigd dat ik op een dag wakker zou worden en alle verloren energie terug zou vinden. En daarom bleef ik wachten en wachten, en nog langer wachten.

Toen, op een dag dat ik onhandig bezig was, waardoor mijn broodrooster kapotging, kreeg ik een idee en begon ik weer te schrijven. Ik had maandenlang niet geschreven, en opeens kreeg ik weer inspiratie. Ik ging achter mijn computer zitten en schreef een verhaal zonder kikkers – het eerste verhaal zonder kikkers in mijn korte carrière als verhalenschrijver. Ik voelde me voldaan, alsof ik een stap had gezet naar een plek die ik nog niet kende. Ik printte het verhaal en toen ik het later die avond herlas, besefte ik dat Cecília daarin nog zo aanwezig was dat ik het niet kon laten om het verhaal in een envelop te doen en het adres van Cecília's uitgeverij erop te schrijven.

De envelop bleef nog twee weken in mijn huis rondslingeren, totdat ik eindelijk op een doodgewone dag de straat op liep en hem in de eerste brievenbus gooide die ik tegen-

kwam. Daarna ging ik weer naar huis, pakte zoveel mogelijk in een rugzak en vertrok, op zoek naar een plek waar
weinig boekhandels waren.

De beeldhouwer en de vrouw

De beeldhouwer zonder verbeelding was ervan overtuigd dat hij een ander beroep moest leren, want als beeldhouwer zou hij de kost niet kunnen verdienen. Hij kon alles doen wat hij op de kunstacademie had geleerd: steen houwen, hout snijden, klei kneden, gips voorbereiden, ijzer lassen, koper gieten, glasvezel vormgeven en daarna harden met polyester, mallen maken met de verlorenwasmethode, maquettes bouwen en die fotograferen, zodat het net echt leek. Maar alles wat hij op de kunstacademie had geleerd, had weinig zin nu hij, met een kunstenaarsdiploma op zak, met de echte wereld in contact kwam.

De beeldhouwer die geen verbeelding had was niet in staat om een beeldhouwwerk te bedenken of om zich een gele hemel voor te stellen. Op de kunstacademie had hij alle technieken geleerd, en hij was de beste geworden in het namaken van de werkelijkheid op verschillende schalen en met verschillende materialen. Hij kon de *Venus van Milo* in hout snijden, Jezus Christus aan het kruis met glasvezel en polyester maken, en een mobiel in de stijl van Calder met een haarfijne structuur van gips bouwen. Maar op geen enkel moment had hij door dat het om kunst te maken ook nodig was om de wereld opnieuw te bedenken, om vanuit het niets te scheppen, om te beginnen met een blanco vel papier.

De beeldhouwer die geen verbeelding had, had vaak huiselijke ongelukjes, omdat hij zijn tijd verdeed met zoeken naar ideeën en met zijn hoofd niet bij de dingen was die hij deed. Zo kwam het dat hij op een zaterdagochtend het citroengele broodrooster dat zijn moeder hem had gegeven naar de bliksem hielp, toen hij het per ongeluk in de vaatwasmachine deed en het de hele cyclus van reiniging en glans liet ondergaan die normaal gesproken voor de borden en glazen bestemd was. Toen hij het broodrooster uit de vaatwasmachine haalde, zette hij het ondersteboven op het wasrek dat in een achterkamertje stond. Het broodrooster werd ondersteund door drie dwarse draden en om te voorkomen dat het op de grond zou vallen, gebruikte hij het snoer van het broodrooster om er een soort net omheen te weven, als een geel spinnenweb dat de enorme citroenkleurige elektrische spin droeg, alsof het een assemblage uit de jaren zestig was. Zo liet hij het geheel een aantal dagen staan.

Op een andere dag, niet lang daarna, verheugde hij zich erop naar een spionagefilm die voor het eerst op tv kwam te kijken en verstrooid had hij een pizza margherita in de oven gedaan zonder van tevoren het plastic omhulsel eraf te halen. Vijftien minuten later, toen de geur van geroosterde pizza zich vermengde met de rook van verschroeid plastic, besefte hij dat hij weer eens had gefaald. Hij naderde de oven met trillende knieën, zette hem uit, deed het deurtje open en wuifde de rook weg die verhulde wat hij die avond had willen eten. Even later, toen hij eindelijk de geplastificeerde pizza margherita ontwaarde, deed hij een ovenwant aan, haalde het blad uit de oven en liet de hoop kaas en plastic in de prullenbak glijden. Een hoop die er langzaam in gleed, alsof het een zachte klok van Dalí was.

Ondanks de poëzie die zijn slordigheid veroorzaakte, zag de beeldhouwer zonder verbeelding nooit de kunst die verborgen was in zijn alledaagse leven. Hij maakte nooit een pas op de plaats om na te denken en tot de conclusie te komen dat hij misschien moest stoppen met zoeken in zijn hoofd en moest beginnen met om zich heen kijken om alle dingen te zien die het toeval hem liet scheppen. Hij bleef de overtuiging koesteren dat zijn grootste prestatie was een perfecte imitatie van de werkelijkheid maken, een lege en gladde werkelijkheid die hij niet eens interessant vond, hoewel hij die van haver tot gort kende.

Maar zoals alle verhalen zou het verhaal van de beeldhouwer zonder verbeelding niet de moeite waard zijn om te vertellen als zijn leven niet plotseling een wending kreeg toen hij op een zonnige zomerdag de schrijfster leerde kennen die een titel zonder boek had.

Ze was een uitzonderlijke vrouw, die de beste titel ooit had bedacht, de titel der titels, die perfecte woordcombinatie die een heel verhaal samenvat, die lezers nieuwsgierig maakt, die de boekhandelaren bevalt en uitgevers betovert.

Ze kwamen elkaar toevallig tegen, of misschien omdat het nodig was dat ze elkaar troffen. In verhalen gebeuren alleen maar dingen die moeten gebeuren, dingen die noodzakelijk zijn voor de voortgang van de plot, aldus de meesters. Dus in dit verhaal kwamen ze elkaar tegen, want anders was het niet de moeite waard geweest om het verhaal te vertellen van een beeldhouwer zonder verbeelding.

En toen ze elkaar leerden kennen, kwamen er twee dolende geesten samen die zich aan elkaar vastklampten.

Hij, de beeldhouwer zonder verbeelding, dacht dat hij een muze had gevonden. Zij, de schrijfster die een titel zonder boek had, dacht dat ze een verhaal had gevonden. Hij was dol op haar en alleen op haar. Maar zij zag hem niet eens. Wat haar interesseerde waren de ongelukjes van de beeldhouwer die geen verbeelding had, de schoonheid die zich verschool in zijn middelmatige leven, die weelderige schoonheid die hij zelf niet kon zien en die zij zou kunnen benutten om de blanco pagina's te vullen van het lege boek dat ze nog niet had geschreven.

Totdat het web dat ze met elkaar gesponnen hadden uiteen scheurde toen de beeldhouwer zonder verbeelding zich realiseerde dat de schrijfster die een titel zonder boek had, haar roman had gevuld met spinnenwebben van broodroosters en zachte klokken van mislukte pizza's.

7

Ik vertrok omdat ik geen andere optie zag. Geen enkele.

De trein bracht me tot Puigcerdà. Vanuit Barcelona leek het me de verste plek die ik kon kiezen, maar toen ik er was voelde het alsof het nog niet ver genoeg was. Het was december en het gebied wemelde van de skiërs. Ik ging aan de kant van de weg staan en zette het op een liften. De terreinwagens gevuld met donzen windjacks negeerden me volkomen. Een halfuur nadat ik mijn duim in de kou had opgestoken, stopte er een man van in de zestig in een bestelwagen van een slagerij.

'Waar wil je heen?' vroeg hij.

Ik stond even met mijn mond vol tanden.

'Ik rijd alleen maar tot aan Bellver, komt dat goed uit?'

'Ja, prima.'

Ik had geen idee waar Bellver lag, maar de man leek betrouwbaar. Ik stapte de bestelwagen in. De verwarming stond flink hoog en ik rook de geur van bloed die gewoonlijk aan slagers hangt.

'Kom je uit Barcelona?' vroeg hij terwijl hij zijn ogen op de weg gericht hield om verder te rijden. Ik gaf geen antwoord.

'Is er misschien een hostel in Bellver?' vroeg ik.

'Zoek je een plek om te slapen?'

'Min of meer.'

'Als we in Bellver zijn, laat ik je zien waar het is. Maar ik moet eerst even in Prats zijn; ik moet een bestelling afleveren.

'Oké.' Ik had geen idee of we twee uur of vijf minuten moesten rijden om in Prats te komen, maar het leek me dat de man een gesprek begon van het soort gesprekken dat men begint als er nog een lange weg te gaan is.

'Je komt uit Barcelona, toch?' vroeg hij nog eens.

'Ja.'

'Nou, daar was ik gisteren, en weet je wat er gebeurde? Ik ging naar de Santa Caterina-markt, om een grote zak peper te kopen. Wel tien kilo, voor de worsten. Nou, ik koop dus die zak, ik leg hem in de auto en loop nog even naar de zaak van een slager die ik al lang ken; zijn zaak is daar heel dicht bij de markt. Ik ben daar, wat – vijf, tien minuten? Ik zeg alweer gedag en loop terug naar mijn auto. En toen... Je zult het niet geloven.'

Hij zweeg even, en ik wist niet of hij wilde dat ik naar zijn avontuur zou gissen, of dat hij misschien alleen maar probeerde er een vleugje mysterie aan toe te voegen.

'Nou, er was ingebroken in mijn auto, en iemand had de zak peper gestolen! Zie je het voor je? Een zak peper, verdorie!'

'En ze hadden verder niets meegenomen?'

'Er lag verder niets in de auto! Ik kon mijn ogen niet geloven! Ik dacht dat er voor radio's en toeristenkoffers ingebroken werd, of voor tassen van verstrooide vrouwen... Maar een zak peper... Waar moet dat heen met de wereld? Ik had de zak precies hier neergelegd, waar jij nu zit. Iemand kraakte het slot en... hupsakee: dag, peper!'

'Nou... Nou...' zei ik verlegen. Wat moest ik daarop antwoorden?

'Maar wacht, het verhaal is nog niet afgelopen! Vervolgens loop ik weer opgefokt naar de winkel van Sidro, die vriend van me, de slager, en ik vertel hem wat er is gebeurd, en hij zegt: "Wacht hier heel even, ik ben zo terug." Daarna loopt-ie naar de bar twee deuren verderop. In een oogwenk is-ie terug en zegt doodleuk: "Je peper ligt in de bar. Als je tweeduizend peseta's geeft aan de vent van de bar, krijg je de zak terug." "Kom op, man," zeg ik. "Ik heb net vierduizend peseta's betaald voor die zak, en hij is van mij! Hij heeft hem gestolen, dus moet hij hem gewoon teruggeven." Waarop Sidro zegt: "Hij heeft hem niet gestolen, hij bewaakt hem alleen. Hij is een goede vent, man. Als hij nu die zak zomaar aan jou teruggeeft, krijgt hij straks problemen met de dief..." Ik was sprakeloos. "Meer kan ik niet voor je doen, Manel," zegt-ie. "Zo is de wet van de straat." "De wet van de straat... de wet van de straat..." Ik kon er niet over uit. "Hoe halen ze het in hun hoofd... de wet van de straat! Een stel smeerlappen, dat zijn ze..." Ik had hem bijna gezegd dat hij de wet van de straat en mijn zak peper gewoon in zijn je-weet-wel kon steken. Maar ja, als ik mijn peper niet terugkreeg, dan moest ik nog een zak gaan kopen en zou ik nog duurder uit zijn. Dus liep ik naar de bar, haalde mijn portefeuille tevoorschijn en betaalde de vent tweeduizend peseta's om mijn zak peper weer mee te mogen nemen en de worsten te kunnen maken die de stomme stadsmensen dit weekend gaan kopen.'

'Ja... natuurlijk,' zei ik vermoeid.

'Ja, ja. Je ziet hoe slecht de wereld eraan toe is. Echt onrechtvaardig! En we kunnen er niets aan doen. Het is de wet van de straat, jong!'

Toen bleef hij een paar minuten stil. We reden vlak bij Alp, zag ik op de borden, en toen namen we een minder drukke weg en begon hij weer een gesprek.

'En wat kom je hier in de Pyreneeën doen?'

'Niets... Uitrusten.'

'Ha, dat is mooi. Als ik eens zou kunnen uitrusten!'

'Mm-mm...'

'Hoe heet je, jong?'

'Niiil, ik heet Nil.'

'Nihil? Als in: niets?'

'Nou, nee, ja...'

'Ik heet Manel. Van Fijne Vleeswaren Manel. Sinds 1940 voorzien we de hele regio van La Cerdanya van vleeswaren. En wat doen ze bij jou thuis?'

'Wat ze doen?'

'Wat voor werk doen ze bij jou thuis?'

'Mijn vader zit in de politiek en mijn moeder is journaliste,' zei ik zonder na te denken.

'Nou, wat een combinatie. En jij? Waar gaat je voorkeur naar uit?'

'Ik ben leraar... rekenen.'

'Ha, vermenigvuldigen en delen. Mooi... mooi...'

Ik dacht aan de kinderen in mijn klas en het leek alsof ik hen al jaren niet meer had gezien.

'Kijk, we zijn al bijna in Prats,' zei Manel om me terug te halen naar het heden. 'Ik moet even aan het begin van het dorp zijn. Dat had ik al gezegd, toch – dat we even moesten stoppen? Het is maar heel eventjes, hè. Je hebt geen haast, toch?'

Hij remde om van de weg af te gaan en bracht de auto op het pleintje tot stilstand, net voor een benzinestation. Ik keek naar rechts en zag de ingang van een hotel. We stapten allebei uit. Het was zo koud dat ik het al snel tot op mijn beenmerg voelde. Ik bedacht dat als ik naast de auto moest blijven wachten, ik een ijspegel zou zijn tegen de tijd dat Manel uit het hotel zou komen. Daarom bood ik hem mijn hulp aan. Hij deed de achterdeur van de bestelwagen open en ik zag vier opgestapelde kratten. Ik kreeg er een. Hij pakte een tweede en liep in de richting van het hotel. Ik volgde hem.

'Pas op, het is glad,' begon hij, maar voor hij zijn zin afgemaakt had, lag ik al op de grond. Dat wat ik voor nat asfalt had aangezien, was dankzij het dooien overdag en het opvriezen in de avond in feite een ijsbaan.

'Shit!' riep ik in mijn val. Ik had de kist in mijn armen en kon dus mijn handen niet gebruiken om mijn val te breken. Ik viel op mijn rug, plofte eerst met mijn kont op de grond en daarna met mijn ellebogen en hoofd. De kist viel boven op me en alle worsten vlogen in het rond.

'Jong! Heb je je bezeerd?'

Manel zette zijn kist op de grond en hielp me opstaan. Terwijl we de worsten bijeenraapten kwam er een vrouw uit het hotel op ons af lopen.

'Dolors!' riep de slager.

'Manel, wat is er gebeurd?'

'De jongen is uitgegleden!'

'Gaat het een beetje?' vroeg de vrouw met een overdreven droef gezicht.

'Ja hoor, het is niks.' Op dat moment voelde ik nog geen pijn.

'Kom maar, ga mee naar binnen, dan kijken we eens goed. Misschien heb je iets gebroken, kom.'

We liepen het hotel binnen, en door de warmte in die ruimte kreeg ik het gevoel alsof ik thuiskwam, in een thuis dat ik al jaren niet had gekend. Alsof ik op mijn bestemming was aangekomen, op de plek die ik toen zocht. Ik ging op een bank in de receptie zitten, naast de open haard, en staarde naar het vuur terwijl Manel de kisten naar de keuken bracht. Toen hij terugkwam en aankondigde dat we moesten gaan, zei ik dat ik daar wilde blijven. Ik kon niet opstaan; mijn hele lichaam deed pijn. Ik vroeg mevrouw Dolors of ze een kamer vrij had en ze zei dat ze een plek voor me zou regelen. Manel ging mijn rugzak uit de bestelwagen halen en daarna zei hij dat hij het erg vond om me daar geblesseerd achter te laten. Hij vertrok met een bezorgd gezicht.

Ik bleef nog een heel uur bij de open haard zitten, tot ik de puf had om naar kamer 205 te strompelen en in bed te duiken, zonder iets te eten.

Een paar dagen lang bleef ik op de kamer. Ik deed helemaal niets en sprak met niemand. Ik liet alle maaltijden bezorgen. Af en toe hoorde ik mensen in de gang van het hotel lopen: vrienden die terugkwamen van een dag skiën of gezinnen met kleine kinderen die in het Franse deel van de Pyreneeën sneeuwpoppen waren gaan maken. De dagen verliepen langzaam en ik deed niets anders dan kijken hoe de uren voorbij tikten, terwijl ik probeerde niets te voelen. Ik dacht aan alles wat er gebeurd was, aan de aaneenschakeling van gebeurtenissen, aan hoe een foto die ik boven mijn bureau had gehangen uiteindelijk mijn ballingschap had veroorzaakt. Aan hoe elke stap die ik zette om verder te gaan met mijn leven me onherroepelijk verwijderde van mijn kindertijd, van mijn niet-bestaande familie.

Met oud en nieuw hoorde ik iedereen in het restaurant

juichen. Dolors bracht mijn diner naar mijn kamer en ze zette er het traditionele schaaltje met twaalf druiven bij, voor elke klokslag van middernacht één. Maar ik at ze de volgende ochtend bij het ontbijt.

De eerste dag van het jaar 2000 werd ik wakker met het gevoel dat de tijd sneller ging, alsof het nieuwe jaar het ritme van het leven had veranderd. En op die 1ste januari besloot ik dat het nu wel genoeg was geweest. Ik kwam mijn kamer uit en liep de trap af naar de receptie. Mevrouw Dolors, die tot dan toe voor me had gezorgd vanaf de andere kant van mijn kamerdeur, was blij om me weer te zien. Terwijl ze de telefoon pakte en snel een nummer draaide, vertelde ze dat Manel vaak naar me had gevraagd.

Nog steeds glimlachend zei ze aan de telefoon: 'Manel! Jong is uit het nest gevlogen!'

Manel antwoordde iets en ze nam snel afscheid van hem, om de telefoon tegen mijn oor te houden.

'Jong! Hoe is het met je?' hoorde ik. Toen realiseerde ik me dat die mensen me een nieuwe naam hadden gegeven: Jong. Ik heette nu Jong. Het klonk oké. Nieuw jaar, nieuw leven, nieuwe naam, dacht ik. Ik babbelde even met Manel en daarna nam ik afscheid van hem.

'Heel veel dank voor alles, mevrouw Dolors,' zei ik zonder te weten of ik 'u' of 'je' moest zeggen. 'Ik ga even een rondje lopen. Als ik naar het dorp wil, moet ik dan de weg naar links of naar rechts nemen?'

'Naar rechts. Maar ga je helemaal naar Prats lopen? Dat is meer dan een kilometer! Ik kan een lift voor je regelen.'

'Nee, nee, bedankt. Ik loop liever. Ik blijf niet lang weg.'

'Maar ben je al helemaal beter? Heb je geen rugpijn meer?'

'Het gaat prima, bedankt.'

En ik liep naar de provinciale weg via hetzelfde stuk asfalt waar een week eerder mijn vlucht was onderbroken.

Ik liep langs de kant van de weg tussen witte velden terwijl de auto's me inhaalden met verboden snelheden.

Even later zag ik in de verte de eerste huizen van het dorp en toen ik daar bijna was, zag ik het bord met de plaatsnaam. Het was een groot vierkant wit geverfd bord met de tekst PRATS I SANSOR aan de onderkant en een wapenschild erboven. Ik keek beduusd naar het wapenschild. Het was een vierkant dat op een van zijn hoeken steunde. Het was rood. En in die bloedkleurige ruitvorm was een gouden weegschaal getekend. Zo'n weegschaal met twee schalen die aan een as hangen. En de weegschaal was volkomen in balans, zoals de weegschaal die Vrouwe Justitia in haar hand heeft, die het symbool van rechtvaardigheid is, en die me zou hebben moeten berechten en vrijspreken.

Ik volgde met mijn vinger de lijnen van die gele weegschaal en besefte dat dat dorp de plek was waar ik moest blijven.

DE APOCALYPTISCHE KIKKER

Sicília, Cecília, *De apocalyptische kikker*.
Blauwe Wolk uitgevers, 1999.
(Fragment, p. 153)

*De schrijver die kikkers verzon sloot verbijsterd de krant. Hij had
een historische vergadering gemist. Hij was ervan overtuigd dat
zijn leven radicaal was veranderd als het hem was gelukt rond een
tafel te zitten met allerlei sciencefictionschrijvers, om samen de
rampen die op de aarde zouden uitbreken te mogen voorspellen.
Hij keek op zijn horloge; hij had nog een halfuur voor hij naar de
vergadering bij de uitgeverij moest. Het leek hem beter als hij later
dan de illustrator aankwam, zodat het duidelijk was wie de ster
van het project was. Hij had dus nog drie kwartier om de tijd te
doden in het café.*

*Hij wist niet eens de naam van de kunstenaar die hij ging ont-
moeten. De uitgever had hem een stapel schetsen opgestuurd, allemaal genummerd, van vijf verschillende illustratoren. Hij had ze
vluchtig bekeken, was de kluts kwijtgeraakt en had de uitgeverij gebeld. Hij had gezegd: 'Ik vind nummer 3, 5 en 7 goed.' Maar hij had
dat zomaar gedaan, omdat hij een zwak had voor priemgetalen.*

*De ober kwam bij hem staan, pakte zijn lege koffiekopje en
vroeg of hij nog iets wilde. De schrijver die kikkers verzon keek hem
in gedachten verzonken aan en bestelde een kiwisap, terwijl hij de
krant opvouwde en op een hoek van de tafel klaarlegde voor andere klanten.*

Toen opende hij de map die hij had meegebracht en haalde er een stapel genummerde blaadjes vol kikkers uit. Hij zocht de nummers 3, 5 en 7. Toen hij 5 en 7 had gevonden, liet hij een paar andere tekeningen op de grond vallen. Een daarvan kwam bij de voeten van een man terecht die een espresso dronk aan een tafeltje naast hem. De man was waarschijnlijk rond de vijftig; hij droeg een blauwe trui en had een baard van een paar dagen. Hij keek naar de tekening die voor zijn voeten was beland, pakte hem, stond op van zijn tafel en ging bij de schrijver die kikkers verzon staan.

'Tekent u kikkers?' vroeg hij geboeid.

'Nee, ik schrijf over kikkers.'

'Ha... Interessant.' De man met de blauwe trui ging tegenover de schrijver die kikkers verzon zitten en hij gaf hem kikker nummer 18 terug. 'En wat... wat schrijft u zoal... over kikkers?'

'Waarom vraagt u dat?'

'O, sorry.' De man stond weer op, liep naar zijn tafel, pakte zijn aktetas, die op de grond naast de stoel stond, en ging weer tegenover de schrijver die kikkers verzon zitten.

'Kijkt u eens hier,' zei hij terwijl hij een pak papier uit zijn aktetas haalde. 'Dit zijn mijn kikkers.' De papieren stonden vol data, gekrabbel en onbegrijpelijke aantekeningen.

'Waar zijn de kikkers?'

De man keek naar de schrijver, kon een ondeugende glimlach niet onderdrukken, en goedgemutst door de vraag antwoordde hij: 'Ik ben een specialist in aardbevingen.' Toen haalde hij een bril uit het borstzakje van zijn overhemd, zette hem op en wees data op de papieren aan, terwijl hij uitlegde dat hij geoloog was en al jaren het gedrag van de kikkers in de dierentuin bestudeerde om de aardbevingen te voorspellen. Want het bleek dat amfibieën om de een of andere reden ophanden zijnde aardbevingen konden voelen voordat de mens iets waarnam, en daardoor gedroegen ze zich heel vreemd.

'Dus u bent specialist in "echte" kikkers,' concludeerde de schrijver die kikkers verzon.

'Hoe bedoelt u?'

'Ik ben specialist in nepkikkers. Ik weet niet eens wanneer ik voor het laatst een echte kikker heb gezien. Mijn kikkers verzin ik gewoon.'

'Hoe kunt u kikkers verzinnen als u niet weet hoe ze in het echt zijn? Hebt u ze niet nodig voor inspiratie?'

'Een kikker is een groen diertje dat springt en bolle ogen heeft. Daar heb ik genoeg aan.'

'Groen? Ach, hoe is het mogelijk! Kikkers kunnen groen zijn, maar er zijn er ook die bruin zijn, en er zijn er ook met zwarte vlekjes of gele stipjes, en er zijn er ook die goudgekleurd zijn, of oranjeachtig en ook roodgekleurd, en zwart, en helemaal geel (de verschrikkelijke Phyllobates terribilis, het giftigste beest op de hele aardkloot!) en er zijn er zelfs ook die blauw zijn!' zei hij terwijl hij naar zijn blauwe trui wees.

De schrijver die kikkers verzon luisterde naar de verdwaalde geoloog, terwijl er een zweem van walging over zijn gezicht trok.

Toen de specialist in aardbevingen en kikkers zijn mond hield, zei de schrijver: 'Luister eens, echte kikkers vind ik afstotelijk. Wat ik doe als ik over kikkers schrijf, is kinderverhalen verzinnen over groene beestjes die springen en bolle ogen hebben. En die beestjes heten kikkers. Mijn kikkers praten en ze beleven avonturen. Ze zijn gelukkig, of verdrietig... en ze leven in een andere wereld.' Hij pakte alle tekeningen van de illustrator bijeen en maakte aanstalten om op te staan, toen hij eraan toevoegde: 'Mijn kikkers hebben helemaal niets te maken met die van u.'

'Natuurlijk niet. U praat niet over kikkers.'

'Wel waar! Mijn kikkers zijn net zo echt als die van u.'

'Mooi niet! Wat u doet is van alles verzinnen op uw kunstenaarswolk.'

'Natuurlijk verzin ik alles, daar gaat het ook om: ik ben schrijver, ik verzin verhalen,' zei de schrijver geërgerd. Hij stond op, gooide een paar muntjes op de bar en verliet foeterend het café.

De geoloog die aardbevingen bestudeerde bleef aan de tafel van de schrijver zitten en ging de krant lezen. Aan de bar stond een jongere man met een rood overhemd en een keurig getrimde sik op van de kruk waarop hij al een halfuur had gezeten. De man draaide zich langzaam om, staarde even naar de geoloog en liep uiteindelijk met onzekere stappen naar hem toe.

'Als ik zo vrij mag zijn,' begon hij toen hij tegenover de geoloog stond. De geoloog die aardbevingen bestudeerde sloeg zijn blik ongeïnteresseerd op. 'Ik heb u horen praten over kikkers en ik dacht: als u beiden kikkerspecialisten bent, kunt u mij misschien wel helpen. Want ik... Kijk... Goed... U bent gespecialiseerd in kikkers, toch? Of was dat de meneer die net is vertrokken?'

'Ik ben specialist in aardbevingen en ik ben geïnteresseerd in het gedrag van kikkers. En de meneer die net is vertrokken is zo'n moderne kunstenaar die denkt dat-ie de kikkers kent, maar hij heeft er nooit van zijn leven een gezien.'

'O... Oké. Ik weet ook niets over kikkers, en daarom wilde ik u wat vragen, want misschien kunt u me helpen.'

'En wat wilt u me dan vragen?' zei de geoloog die aardbevingen bestudeerde. Hoewel hij geen zin had om weer in gesprek te raken met onbekenden, voegde hij eraan toe: 'Gaat u toch zitten, blijf daar niet zo staan als een zoutpilaar.'

'O, fijn, dank u wel. Ja, kijk, weet u wat het is, ik ben acteur. Maar wat ik eigenlijk graag zou willen, is schrijven...'

'Nog een schrijver! Wat is dat nou toch? Komen er in dit café alleen maar schrijvers en superintellectuele mensen? Eén dag maar, één dag is De Oceaan gesloten...' mopperde hij terwijl hij de krant weglegde. 'Waarom moest ik in vredesnaam nou in dit café vol jongelui terechtkomen...'

De man met het rode overhemd boog zijn hoofd verlegen.

'Had je nou nog een vraag?' zei de geoloog. 'Kom maar op, zeg het maar. Je bent schrijver... Je wilt iets.'

'Nee, nee. Ik ben geen schrijver,' zei de jonge acteur. 'Wat ik wilde zeggen is dat ik een idee heb voor een film, maar dat ik graag wil nagaan of het einde dat ik heb bedacht wel zou werken.'

'Wat voor een einde heb je bedacht?'

'Nou, wat ik dus wilde vragen... Is het waar dat kikkers uit de hemel kunnen regenen?'

'Ha... de kikkerregen... een van de meest interessante meteorologische mysteries.'

'Het is weleens echt gebeurd, toch?'

'Je wilt je film laten eindigen met een kikkerregen?'

'Ik zit eraan te denken.'

'Heb je al Bloederige klaprozen gezien?'

'Ja. Of nee, ik heb hem niet helemaal gezien. Maar ik ken hem; ik speelde mee als figurant.'

'O ja? En wat speelde je dan?'

'Ik was een ambulancebroeder en ik was ook een supermarktklant.'

'Aha... ik herinner me de scène met de ambulance nog wel.'

Ze waren allebei even in gedachten verzonken, alsof ze een reden zochten waarom ze op dat precieze moment in een café met een onbekende zaten te praten over de ambulance in Bloederige klaprozen.

'Nou, goed, waar hadden we het over?' vroeg de geoloog. 'O, ja... De kikkerregen is de laatste scène van Bloederige klaprozen. Dus, jongen, dat idee is al gebruikt. Je moet iets nieuws bedenken. Bovendien, als je er als figurant in meespeelde, heb je nog meer kans dat ze gerechtelijke stappen tegen je ondernemen wegens plagiaat.'

'Welnee! Mijn film is heel anders! Mijn kikkerregen heeft een fy-

sieke reden. Het gaat helemaal niet om de apocalyps. Het gaat erom dat de mist wordt verdreven, begrijpt u? De kikkerregen heeft geen symbolische functie; het is gewoon een deel van de plot, een noodzakelijke scène om de eeuwigdurende mist die de stad in zijn greep heeft te verdrijven. Het is de stad van de mist.'

De geoloog keek de acteur welwillend aan.

'Dit klinkt allemaal heel leuk. Maar een kikkerregen is gewoon een kikkerregen, en de eerste die eraan dacht was de scriptschrijver van **Bloederige klaprozen**. *Je hebt de boot gemist. Dit is het antwoord op je vraag, jongen: je bent te laat.'*

De geoloog schoof zijn stoel achteruit om op te staan, maar voordat hij overeind was gekomen werd hij verrast door een cafébezoeker, een in onberispelijk zwart geklede jongeman die bij hem kwam staan en zich ermee bemoeide.

'Je hebt ook nog **Magnolia**,*' zei hij.*

'Welke magnolia?' vroeg de acteur.

'De film **Magnolia**.*'*

'Die ken ik niet.'

'Ha, dit is echt een acteur van likmevestje...' schamperde de geoloog.

'In **Magnolia** *zit ook een scène met een kikkerregen,' zei de jongen in het zwart, en hij liet merken dat hij het gesprek van a tot z had gevolgd toen hij zei: 'Er zijn dus twee films die zo'n opvallende truc gebruiken als een kikkerregen. Ik denk dat je voor je film een ander einde zou moeten bedenken.*

'U bent ook schrijver?' vroeg de geoloog terwijl hij zijn stoel nog verder naar achteren schoof.

'Nee hoor! Ik ben bioloog,' zei de zwartgeklede jongeman. Hij pakte een stoel van een andere tafel en kwam aan het tafeltje van de geoloog en de acteur zitten.

'Zo... een bètajongen,' zei de geoloog met een nieuwsgierige glimlach. 'Interessant. Van iedereen die hier aan tafel heeft geze-

ten bent u vast degene die het meeste verstand heeft van kikkers.'

De in het blauw geklede geoloog en de in het zwart geklede bioloog verloren zich in een gesprek over echte kikkers, terwijl de acteur die een filmscenario wilde schrijven in gedachten verzonk.

De ober, die het hele gesprek van een afstand had gevolgd, kwam bij hun tafel om de lege glazen mee te nemen en deed ook nog een duit in het zakje: 'De drukpers schijnt tegelijk in Duitsland en in China te zijn uitgevonden, maar ze wisten het niet van elkaar. Je snapt wat ik bedoel, toch?' De acteur keek hem weinig toeschietelijk aan, maar de ober vervolgde: 'Wat ik denk is dat niemand patent heeft op de kikkerregen. Ideeën zijn van iedereen, net als de lucht die we inademen. Als je graag een kikkerregen wilt gebruiken, dan gebruik je die, punt uit.'

Dat commentaar trok de geoloog en de bioloog opnieuw in het gesprek, die met nieuwe argumenten kwamen.

'Maar tegenwoordig worden originaliteit en een verrassingseffect meer gewaardeerd, en die twee aspecten verliest hij op die manier,' begon de ene.

'Hij moet een tornado, of een Sahara-zandstorm, of een aardbeving gebruiken, die de mist in het centrum van de aarde zal opzuigen, of de huilbui van een reusachtige baby...' voegde de andere eraan toe.

'Of een olijvenregen, of een windvlaag van rozenblaadjes, of de magnetische kracht van een uitzonderlijke volle maan, of de kitscherige muziek van het Eurovisie Songfestival...' vervolgde de eerste.

Zo bleven ze ideeën en mogelijkheden opperen om de mist te verdrijven, maar de acteur die als figurant had gespeeld in **Bloederige klaprozen** voelde intuïtief aan dat zijn film moest eindigen met een kikkerregen. Terwijl de twee wetenschappers voorstellen bleven doen om de mist te verjagen, en de ober opnieuw in zijn rol verviel van stille ober achter de bar, vertrok de acteur met zijn hoofd volgepropt met woorden uit het café. Toen hij buiten was, draaide hij zich even om om naar binnen te kijken, om te zien of hij geen jas was vergeten op de stoel waarop hij had gezeten. Net op dat moment realiseerde hij zich dat het café waarin hij met een paar onbekenden over kikkers had zitten praten De Apocalyptische Kikker heette. Door dat toeval voelde hij zich zo zeker van zichzelf dat hij even diep inademde en de kikkerregen besloot te gebruiken, terwijl hij weer dacht aan wat de ober had gezegd: 'Ideeën zijn van iedereen, net als de lucht die we inademen.'

SIRA

1

Ik had Nil tien lange jaren niet gezien en hij had de laatste zes maanden ook niet meer gebeld.

Na dat eerste telefoongesprek, jaren geleden, toen ik op een bankje op de Plaça Letamendi ging zitten, had hij me heel af en toe weleens gebeld. Die gesprekken verliepen net zoals het eerste: het leek alsof hij alleen maar belde om zijn stem te laten horen, om me dingen te vertellen die slechts hij kon snappen. Hij stuurde altijd het gesprek; hij besloot wanneer en hoe het begon en ook wanneer het eindigde. Hij liet me nooit een vraag stellen of iets vertellen.

Ik had dus al een halfjaar geen nieuws van hem, toen op een avond in 2010 mijn telefoon ging. Ik nam op en hoorde de stem van mijn broer. Hij begon zoals gebruikelijk ook dit keer meteen te praten.

'Ik had laatst een rustig moment zonder klanten en ging even voor het benzinestation zitten,' zei hij.

Ik wilde hem vragen over welk benzinestation hij het had, maar voordat ik iets kon zeggen, vervolgde hij: 'Er was nog geen minuut verstreken toen ik op de vlucht-strook een man aan zag komen rennen, wild gebarend met zijn handen. Het was een goed geklede man, van het soort dat pak en das draagt, alsof ze op Wall Street zijn, ter-

wijl ze eigenlijk in een terreinwagen door de Pyreneeën rijden. Ik herinnerde me hem nog. Een kwartier daarvoor
was hij langs het benzinestation geweest, hij had diesel bij
pomp 2 getankt, dus ik stond op en liep naar hem toe. Hij
zei: "Mijn auto is net gestolen." Ik dacht dat hij zijn terreinwagen vast nooit meer terug zou zien, want de kerel
die de auto had gestolen, had een volle tank getroffen en
was waarschijnlijk al in Frankrijk nieuwe kentekenplaten
op de auto aan het schroeven. En weet je wat er toen gebeurde? De man dus met de stropdas, de man die echt
niets met mij te maken had, die in geen enkel opzicht op
mij leek, zei: "Als ik niet hier had getankt, als ik nog even
verder was gereden, hadden ze misschien de auto met een
lege tank gestolen en waren ze niet zo ver gekomen, de
klootzakken." Snap je? Weet je wat ik bedoel?'

'Nee, Nil, ik snap je niet.'

'We dachten precies hetzelfde. De meest onverwachte
persoon, die het tegenovergestelde is van mij, bleek precies hetzelfde te denken als ik. Is dat niet ongelooflijk?'

Als er iets ongelooflijk is, dacht ik, is het dat jij mij belt
om dit soort dingen te vertellen, in plaats van me te vragen
hoe het met mij gaat, of hoe het met je moeder gaat.

Maar ik zei niets, want hij was nog niet klaar.

'Zie je het niet? Een auto die met een volle tank gestolen
wordt, is hetzelfde als doodgaan net na het scheren, of een
terroristische aanslag meemaken als je bij de kapper vandaan komt, of een hartaanval krijgen als je net klaar bent
met de grote schoonmaak. Het is een kosmische rotstreek.
Snap je? Een kosmische rotstreek. En hij dacht hetzelfde,
zie je? Hij was het met me eens! Die kerel van de terreinwagen en de stropdas was het met mij eens!'

'Werk je bij een benzinestation?' vroeg ik hem. Hij bleef

even stil en ik dacht dat hij zou ophangen.

'Vaak zijn dingen anders dan ze lijken,' zei hij toen on-doorgrondelijk. Toen was mijn geduld op en ik zei precies wat ik op dat moment dacht: 'Hou op met al die onzin en geef antwoord. Werk jij bij een benzinestation?' Op zachte toon, bijna fluisterend, zei hij: 'Als je een andere keer wilt praten, wanneer je niet meer zo boos bent, dan kun je me op dit nummer bellen. Maar vraag dan naar Jong.'

'Wat bedoel je? Wie is die Jong? Ben jij dat?'

'Ik moet nu ophangen. Er komt net een auto aan.'

'Nil!'

Ik hoorde weer het *tuut tuut tuut* dat mijn oor binnen-drong en rechtstreeks naar die plek in het verstand ging waar de dingen die je niet wilt horen het pijnlijkst zijn.

Dat gesprek was nog vreemder dan alle andere, maar iets troostte me. Hoewel zijn woorden hem steeds verder van me wegduwden, was hij dit keer in werkelijkheid dich-terbij.

Op internet zocht ik het telefoonnummer waarmee Nil me altijd belde en ik kwam erachter dat het inderdaad bij een benzinestation hoorde. De benzinepomp lag aan een autoweg in de Pyreneeën, vlak bij het dorp Prats. Ik had hem eindelijk gevonden: ik wist waar hij was, ik wist waar ik naartoe moest bellen om hem te spreken, en ik wist dat als ik een auto zou pakken en naar Prats zou rijden, ik veel kans had hem daar te vinden. Ook al heette hij nu Jong. Wat mij betrof, mocht hij Napoleon heten, dat was een bij-komstigheid. Het belangrijkste was dat ik nu wist dat ik hem wanneer ik daar zin in had kon gaan opzoeken.

Ik zei niets tegen mijn moeder. Ik moest eerst meer din-gen te weten komen en misschien nog een telefoontje af-wachten. Ik kon haar niet vertellen dat Nil in de Pyreneeën was, dat hij bij een benzinestation werkte, dat hij zich Jong liet noemen, dat hij mij af en toe belde en dat we surrealistische gesprekken hadden over... Waarover eigenlijk? Wat kon ik haar vertellen? Niets dus, helemaal niets.

Die nacht kon ik moeilijk in slaap komen. Het was benauwd en mijn gedachten slingerden doelloos door mijn hoofd. Het was drie uur 's nachts toen ik mijn pogingen in slaap te vallen opgaf en naar buiten liep om een rondje te lopen. Ik was al jaren niet meer gaan wandelen om aan de warmte te ontsnappen. Ik woonde al jaren niet meer in een appartement waar de warmte je het huis uit joeg. Ik liep langs de Avinguda Diagonal en bij elke stap kon ik de zomer ruiken, die er nog niet was. Ik dacht aan die lang vervlogen dagen toen het wantrouwen me in bomen deed klimmen. Ik kwam mensen tegen die om innerlijke demonen te verjagen liever gingen joggen in plaats van tegen de muren op te lopen. Ik herinnerde me dat ik al vijftien jaar nergens meer op klom en probeerde er niet aan te denken waarom dat zo was. Ik hield mijn vuisten zo lang gebald dat mijn handen ervan zweetten. Ik deed ze open en veegde ze af aan mijn broek. Uit gewoonte pakte ik mijn mobieltje om te kijken of iemand me had gebeld. Ik wist dat als Nil ooit nog een keer zou bellen, hij het pas over een tijdje zou doen, en niet op zo'n onmogelijke tijd. De enige die me op dat moment kon bellen was de IT'er. Maar hij belde niet. Ik merkte dat ik niets voelde, dat ik misschien zelfs blij was; zo hoefde ik geen antwoord te geven. Ik realiseerde me dat ik al wekenlang alleen maar met de IT'er belde. Ik voelde mijn armen zwaar worden en mijn mond droog, en ik voelde de bekende angst voor eenzaamheid. Gaandeweg vertraagde ik mijn stappen, bijna ongemerkt, bijna onvermijdelijk. En op dat moment viel er vlak voor me een boom om en mijn hart sloeg een slag over.

Ik dacht dat bomen alleen omvielen als ze moe waren van het staan, of als iemand ze deed vallen. Bijvoorbeeld een houthakker, of de wind, of zware sneeuwval. Ik voelde dat er iets veranderd was. Ik wist dat als de boom niet was omgevallen, mijn leven gelijk zou zijn gebleven: bijna gelukkig, maar niet helemaal, tevreden met hoe alles was, terwijl alles beter zou kunnen zijn.

De boom viel dus om en het leven werd anders. De volgende dag was de hemel geel en in de tuinen rook het naar vers gemaaid gras. Toen besefte ik dat alles in een stroomversnelling zou raken.

De IT'er zei dat hij er genoeg van had en ik kreeg het gevoel dat de wereld verging, maar tegelijkertijd wist ik dat hij gelijk had, dat we er allebei genoeg van hadden. Dat ieder van ons elders gelukkiger zou zijn. Omdat we elkaar toevallig in de duisternis van de nederlaag waren tegengekomen. Omdat we allebei iemand anders vervingen, wat betekende dat we op maat gemaakte illusies waren, zonder reële mogelijkheden tot voortbestaan. Omdat we eigenlijk geen stel waren, maar een tegengif voor eenzaamheid, de brug die het verleden met de toekomst verbond. Een noodzakelijke oase waarin we weer op krachten moesten komen voordat we verder konden gaan met de hordeloop van het leven.

Die oase duurde twaalf maanden. Een neutraal jaar, een periode waarin er zo weinig gebeurt dat de hersenen eindelijk de ruimte vinden om dat wat we achter ons hebben gelaten te kunnen ordenen. En wat ik achter had gelaten, was een bedreigende periode.

De weken gingen voorbij en ik vulde de leegte die de IT'er had achtergelaten met bezorgdheid over mijn broer. Ik fantaseerde dat ik hem ging opzoeken bij het benzinestation, dat we praatten en dat hij de antwoorden op al mijn vragen had. Ik dacht dat het hem daar, op een afstand, was gelukt zijn leven op de rails te krijgen en er betekenis aan te geven.

Nil liet zes weken lang niets meer van zich horen, en toen besloot ik hem te gaan zoeken. Ik twijfelde even of het de beste manier was, maar uiteindelijk belde ik mijn vader. Ik vertelde hem dat ik met mijn broer had gesproken, dat ik wist waar hij uithing en dat ik graag wilde dat hij me met de auto naar Prats zou brengen, want ik had zelf natuurlijk geen auto, anders was ik er wel in mijn eentje heen gegaan... En terwijl ik dat allemaal zei, kreeg ik een drukkend gevoel op mijn borst, alsof ik niet genoeg lucht had, en dat werd nog erger toen ik ophing en me afvroeg waarover we moesten praten als we zo lang naast elkaar in de auto zaten.

Toen hij me op een zaterdagochtend ophaalde, had ik al een paar gespreksonderwerpen voorbereid om de stilte te doden, maar ik was er zeker van dat ik niet genoeg materiaal had om de drie uur durende reis te vullen. We praatten over zijn werk en over mijn eerste schreden in de wereld van toneel en nasynchronisatie. Ik was al tien jaar klaar met mijn studie, maar het leek alsof ik nog steeds speelde dat ik actrice was. Even was ik bang dat mijn vader een van zijn preken over verantwoordelijkheid zou beginnen, maar dat deed hij niet. Daarmee had mijn vader Nil altijd tot gekmakens toe aan zijn kop gezeurd, omdat hij niet wilde dat Nil als bouwvakker werkte. Ik dacht dat hij misschien van zijn fouten had geleerd. Het leek alsof hij het na al die jaren belangrijker vond of ik vrienden had dan of ik mijn geld goed verdiende. En hij vroeg altijd naar Rut. Hoewel ik al jaren herhaalde dat ik haar na de middelbare school niet meer had gezien, bleef hij maar aandringen.

We waren nog niet eens halverwege en we hadden alle typische onderwerpen al uitgeput: we hadden het gehad over de familie, over de krantenkoppen, en we hadden commentaar gegeven op het rijgedrag van de andere automobilisten. Dat was het moment waarop we allebei genoegen namen met de stilte die ons zou beschermen voor compromitterende gesprekken. Maar voordat we de Cadí-tunnel in reden, brak hij ons stilzwijgende pact en vroeg: 'Hoe oud is je broer nu?'

Ik versteende.

'Je weet niet eens hoe oud je eigen zoon is,' voer ik uit. 'Schaam je je niet?'

'Kom, wind je niet zo op.'

'Achtendertig! Hij is achtendertig!' riep ik. En ik voelde dat ik op dat moment de woede die ik de afgelopen jaren niet had geuit, in een paar woorden samenbalde.

Ik begreep ook dat als ik hem niet vertelde hoe ik me voelde, de man die naast me zat nooit zou begrijpen waarom het me zo irriteerde dat hij mij naar de leeftijd van mijn broer vroeg. Het probleem was dat ik zelf niet eens wist hoe ik moest uitleggen waarom ik zo kwaad op hem was sinds hij ons vijftien jaar geleden had verlaten.

We bleven een tijdje stil, totdat hij, toen we de tunnel uit reden, vroeg: 'Wat moet hij in vredesnaam bij een benzinestation in de Pyreneeën?' Ik bedacht dat het beter was om ons te concentreren op het probleem dat voor ons lag, in plaats van elkaar in de haren te vliegen over dingen die al gebeurd waren. Als we onze krachten bundelden om Nil te vinden, zouden we misschien op een nieuwe manier met elkaar kunnen omgaan.

'Ik weet het niet,' antwoordde ik.

Toen we de weg van Bellver naar Alp in reden, ging mijn hart opeens als een razende tekeer en kreeg ik een droge mond. Ik stelde me voor dat we bij het benzinestation aankwamen en Nil daar in een overall naast een pomp zagen wachten. Ik voelde een vage angst voor een mislukking. Ik vreesde dat mijn vader dat moment zou ondermijnen en ik voelde me genoodzaakt om te zeggen: 'Als we hem vinden, laat mij dan maar het woord doen.'

'Dat is goed,' zei hij zonder enige emotie, onverschillig voor het feit dat ik hem uitsloot bij de verzoening. Toen vroeg hij: 'Wat ga je tegen hem zegen?'

'Ik weet het nog niet.'

2

Via Facebook hebben we elkaar weer gevonden. Nu rest ons nog het echte werk, maar ik betwijfel of we moeten doorgaan tot het einde, tot aan de oorsprong van alles. We zitten in een overvol en luidruchtig restaurant en ik vraag me af wie de vrouw is die tegenover me zit. Vroeger was ze mijn hele wereld, mijn referentiepunt. We groeiden samen op en maakten toekomstplannen; we dachten dat als we later groot waren onze echtgenoten ook onafscheidelijk zouden zijn en dat onze kinderen samen zouden spelen. En nu, een half leven later, kan ik me niet meer herinneren wie we waren. Ik heb nauwelijks nog herinneringen aan de middelbare school, terwijl in haar geheugen allerlei scènes uit onze eerste schooljaren staan gegrift.

'Ik kan me een keer herinneren dat je boos werd tijdens de les,' vertelt ze terwijl ze van haar salade knabbelt. 'Herinner je je Joel nog, die altijd in de rij achter ons zat?'

Ik schud van nee, maar ze kijkt niet eens naar me. Ze is ergens anders, bij vijfentwintig jaar geleden, en ze zoekt naar beelden van toen.

'Herinner je je nog dat hij altijd aan je haar trok? Meestal zei je er niet eens iets van; je schoof alleen je stoel wat naar voren, ging dichter bij de tafel zitten, zodat hij er niet meer bij kon, en je ging door met waar je mee bezig was. Maar ik weet het niet, die dag had je er misschien genoeg van, of misschien trok hij er harder dan ooit aan, wie zal het zeggen? Kortom, toen hij het die dag al een keer of drie, vier had gedaan, keerde je je om, en zonder iets te zeggen keek je hem strak aan met die ogen van je, en hij was zo uit het lood geslagen dat hij zijn excuses aanbood. Daarna deed hij het nooit meer. Weet je dat niet meer? Echt niet?'

Ik blijf mijn hoofd schudden. Ze trekt een vragend gezicht en ik weet niet hoe ik dat moet interpreteren. Vervolgens realiseer ik me dat ik haar eigenlijk helemaal niet ken, want mensen veranderen en zeventien jaar is een lange tijd. Maar het lijkt alsof zij mij wel kent, omdat ze me dingen blijft vertellen, en dan zegt ze: 'Je had een blik die door muren heen ging. Echt, ik heb nooit meer iemand ontmoet met zulke intense ogen als die van jou.'

Ik luister aandachtig naar haar, en ik kan niets anders dan denken dat ze het ter plekke verzint, of dat ze mij met iemand anders verwart. Hoe kan zij zich mijn blik nog herinneren? Maar ik weet dat ze gelijk heeft, want ik heb het wel vaker gehoord, van andere mensen, bij andere gelegenheden: dat ik soms een blik heb die mensen doet verstijven. Het probleem is dat ik vaak niet eens doorheb dat ik zo'n dreigend gezicht trek, omdat ik meestal gewoon ergens aan denk. Ik ben geconcentreerd, met mijn gedachten verstrikt ergens in mijn hoofd, en ben me niet bewust van wat mijn ogen doen.

Ik realiseer me dat deze vrouw, die me al kende toen we nog meisjes waren, dingen van me weet die nu nog gelden. Daardoor voel ik me machteloos, naakt. Maar ik wil niet dat dat gevoel bezit van me neemt, en daarom besluit ik om over iets anders te beginnen en vraag haar of ze zich de middelbareschooltijd nog herinnert, en de laatste keer dat we elkaar zagen.

Ze kijkt me verbaasd aan en zegt: 'Weet je het echt niet meer? Maar het kwam door jou! Jij werd boos op mij!' Ze zegt het zo overtuigd dat ik niet denk dat ze me in de maling neemt.

Ik probeer me te herinneren waarom ik boos heb kunnen worden, maar er schiet me niets te binnen. Het laatste wat ik me herinner is de dag van de beroepsoriëntatietests en dat we daarna een tijdje in het café zaten. Plots vraag ik haar plompverloren of ze weet wat er van het café en de eigenares is geworden. Ze zegt dat ze het niet weet, dat ze er sinds ze een paar jaar geleden de colla verliet, nooit meer is geweest. Opeens schiet het idee door mijn hoofd haar voor te stellen om een keer samen naar het café te gaan waar we zijn opgegroeid. Maar ik denk dat het misschien te vroeg is voor een nieuwe afspraak, want geen van ons tweeën heeft de tijd gehad om na te gaan of we zin hebben om onze vriendschap te herstellen – of een nieuwe te sluiten zoals we nu zijn –, of dat we liever alles bij het oude laten en deze ontmoeting beschouwen als een klein raampje dat we hebben geopend waardoor we in het verleden hebben kunnen kijken, maar dat we dicht kunnen doen zodra we de rekening van het restaurant hebben betaald.

Ik merk dat ze vol verwachting naar me kijkt. Ze wil dat ik me het moment herinner waarop ik boos werd, maar ik zit al een denkbeeldig biertje te drinken in het café van onze castellers-tijd en zie de afloop van de middag dat we er voor de laatste keer zijn geweest niet meer voor me. Ik vraag haar om hulp en zweer dat ik het echt niet meer weet, en zeg dat als ik boos werd, het vast om iets onbelangrijks was, dat alles van toen nu niet meer telt. Ik vraag haar om het me alsjeblieft te vertellen, om me te helpen herinneren. Maar ik zie dat ze het niet durft, dat ze er moeite mee heeft het te vertellen. Uiteindelijk waagt ze het erop.

'We waren bij het café en we hadden het over de zomer, en over na de zomer, over hoe geweldig we het op de universiteit zouden hebben, omdat we allebei rechten zouden studeren, en we op die manier samen zouden blijven.'

Ze zegt het onzeker, alsof ze bij elke zin verwacht dat ik haar zal onderbreken om haar te corrigeren, om haar mijn versie van de feiten te vertellen. Maar ik ben helemaal niet van plan haar herinnering tegen te spreken, want we zitten al twee uur in dit restaurant en ze heeft al ruimschoots bewezen dat de helft van haar geheugen het dubbele van het mijne waard is.

Vol verwachting, nieuwsgierig en ik neem aan ook onschuldig, kijk ik haar aan en ze vervolgt een stuk zekerder: 'Ik dacht dat jij het er ook mee eens was, dat jij ook rechten wilde studeren. Bovendien, voor jou was dat de eerste optie, volgens de oriëntatietest. Maar voor mij was rechten de tweede optie... Maar goed, dat maakt niet uit. We hebben het toen de hele middag gehad over hoe het op de universiteit zou zijn. En toen, op het laatste moment, toen alles al besloten leek, dat we elkaar elke ochtend zouden ophalen om samen naar de universiteit te gaan en dat soort dingen, toen zei jij opeens dat je geen advocaat wilde worden. Dat je een hekel aan advocaten had omdat je ouders gescheiden waren, of zoiets. Dat gedoe van actrice worden schudde je zomaar uit je mouw. Eerst dacht ik dat je het voor de grap zei, om mij te pesten. Maar toen je zei dat je het echt meende, werd ik boos en... Toen zei ik... Ik weet niet hoe ik erbij kwam, echt niet. Het kwam waarschijnlijk door de kinderlijkste woede die je je kunt voorstellen. Waarschijnlijk was ik bang om aan de universiteit te beginnen zonder jou...'

Op dat moment zie ik hoe ze was, ik zie de Rut die ik ken, de Rut die ze toen was, die ogenschijnlijk het heft in handen had, maar die ík op sleeptouw nam. Ze had het nodig dat ik haar volgde, dat ik er ook bij was, om zich Rut te voelen. Ze vertelt eindelijk wat er zo belangrijk was dat ik er toen woedend om werd, zodat onze vriendschap erdoor sneuvelde, maar ook zo onbelangrijk dat ik het allang vergeten ben. Ze zegt: 'We hebben elkaar niet meer gezien omdat ik tegen je zei dat dat actricegedoe helemaal niet bij je paste. Ik zei dat het flauwekul was, dat je het ter plekke had verzonnen en dat je het niet moest doen. Dat het je nooit van je leven zou lukken.'

Door die laatste zin breekt er iets in mij. Een paar zenuwcellen worden met elkaar verbonden en een vage herinnering komt terug. En dan realiseer ik me dat ze gelijk heeft wanneer ze zegt: 'Dat heb je me nooit vergeven.'

3

'Wees niet verbaasd als Nil zich Jong laat noemen,' zei ik terwijl we door Prats reden.

'Wat bedoel je?'

'Nou, gewoon, dat hij me vertelde dat hij geen Nil meer heet, maar Jong.'

'Jong – wat een onzin!'

'Papa, als we zo beginnen, gaat dit echt niet werken. We moeten hem niet veroordelen. We moeten ook geen vragen stellen.'

'Maar wat doen we hier dan in vredesnaam?'

'We komen hem opzoeken. Dat is het. Omdat we zin hadden om hem weer te zien. Omdat we hem al zo lang niet meer gezien hebben.'

'En dat is het?' vroeg hij geïrriteerd.

'Hoe bedoel je, of dat het is? Wat wil je anders?'

'Dat hij naar Barcelona terugkomt. Het heeft lang genoeg geduurd, al die aanstellerij.'

'Terug naar Barcelona?' antwoordde ik. 'Waar in Barcelona moet hij dan naartoe, naar jou of naar mij? Snap je niet dat hij waarschijnlijk na al die jaren zijn leven hier heeft opgebouwd? Hij heeft een baan. Hij zal waarschijnlijk ook wel een appartement hebben, en vrienden – kortom, een leven.'

'Als benzinepompbediende. Mooi leven!'

Ik beet op mijn tong. Ik wilde niet alles nog ingewikkelder maken. Even later zag ik het benzinestation in de verte liggen, links van de weg.

'Het moet daar zijn,' zei ik.

'Mijn tank is nog half vol, ik ga niet bij de pomp staan,' zei mijn vader terwijl hij de auto voor het benzinestation stilzette. Ik knikte en stapte uit. Mijn knieën trilden. Mijn vader haalde de stekker uit de gps en borg hem op in het dashboardkastje, terwijl ik bleef staan, naar het witte dak van zijn Audi A5 keek en oefende: 'Hoi, Nil, hoe is het met je...' Nee. 'Hoi, Nil, we komen op bezoek...' Ook niet. 'Hoi, Nil, ik heb je zo gemist!' Hoe kon ik nu iets zeggen wat ik nooit van mijn leven tegen hem had gezegd? En als hij er nou niet was? 'Hoi, weet je misschien waar ik Nil kan vinden? Ik ben zijn zus... O... nee? Misschien ken je hem onder de naam Jong... Ook niet? Jammer.'

'Kijk, daar is-ie,' zei mijn vader terwijl hij uit de auto stapte. Ik keek op en zag na tien jaar mijn broer.

'Blijf jij maar hier en doe geen gekke dingen,' zei ik vastberaden. Ik haalde diep adem, keek naar de hemel, die die dag blauw was, en liep naar Nil. Bij elke stap keek ik naar hem en probeerde ik mezelf ervan te overtuigen dat de man die daar met een pompslang in zijn hand stond dezelfde vreemde jongen was die ooit thuis verschrikt naar me had gekeken in het trappenhuis terwijl ik mezelf erin trainde om geen angst voor hoogtes te hebben.

'Je bent klaar om te gaan, Manel!' hoorde ik hem zeggen.

'Bedankt,' zei de man die net had getankt, en voordat hij de auto startte, zei hij nog: 'Tot ziens, Jong!' Bij dat laatste woord maakte mijn hart een sprongetje.

Nil had mijn aanwezigheid nog niet opgemerkt en liep het winkeltje van het benzinestation in. Ik liep achter hem aan. De winkel was niet meer dan een kantoortje met een tafel vol paperassen en aan de muren plankenvol autoproducten als olie, ruitenwisservloeistof en andere flessen met weet-ik-veel-wat.

'Hoi,' zei ik tegen zijn rug.

Hij draaide zich om terwijl hij zei: 'Hallo goeiendag...' en verstomde toen hij me zag.

Ik keek naar zijn door de tijd gegroefde gezicht en voelde een onbestemde angst en ontroering. Ik had hem klemgezet in zijn eigen winkel en kon zijn ademhaling bijna horen. Maar wat moest ik zeggen? Waar moest ik beginnen? Terwijl ik twijfelde tussen 'Hoi, Nil' en 'Hoe is het met je?', zei hij: 'Hoi, Sira.'

Hij glimlachte en ik glimlachte terug. En ik voelde dat er even niets meer gezegd hoefde te worden, want alles was goed met hem.

Toen kwam er een andere auto aan en hij ging die helpen. Ik bleef even in het winkeltje en keek naar de papieren op de tafel en naar de muren. Ik wist niet wat ik ervan moest denken. Ik observeerde gewoon en liet de omgeving op me inwerken, om mijn broer opnieuw te leren kennen.

Ik zag dat er geen televisie was, en dat hij de tijd op een andere manier zou moeten verdrijven, de uren dat hij zonder klanten zat. Ik stelde me hem voor aan de telefoon met vrienden, of kletsend met klanten, of naar buiten lopend om naar de hemel te kijken. Opeens vroeg ik me af of hij een partner zou hebben, of hij met een vrouw samenwoonde.

Toen de auto vertrok, kwam Nil de winkel weer in en ik vroeg hem: 'Heb je zin om met me te lunchen?'

'Oké.'

'… en ook met papa?'

Ik besloot met mijn vader een rondje door Prats te gaan lopen terwijl we wachtten tot Nil vrij was. We stapten weer in de auto en namen dezelfde weg terug. Maar dit keer lette ik wel op het landschap, op de groene velden aan beide kanten, en de huisjes met leisteendaken waar we langs reden.

We parkeerden in een straatje waar we dachten dat niemand er last van zou hebben en slenterden wat rond door de verlaten straten, waar het naar warm eten geurde. We zagen het gemeentehuis en het plein, staken de autoweg een paar keer over en twintig minuten later hadden we alle straten gehad.

Om drie uur stapten we weer in de auto om Nil op te gaan halen. Mijn vader had inmiddels zo'n honger dat hij toeterend aan kwam rijden om Nil te waarschuwen. Hij stapte niet eens uit. Ik wel. Ik liet de passagiersstoel vrij voor Nil en ging op de achterbank zitten. Nil stapte in en zei heel gewoon 'Hoi' tegen mijn vader. Nil wees ons de weg naar het restaurant en af en toe vertelde hij anekdotes over het dorp om de stilte te vullen. Het trof me dat hij er zo goed uitzag. Hij leek gelukkig. Hij leek zelfs wel iemand anders, iemand die in het verouderde lichaam van mijn broer was gekropen.

Toen we het restaurant in liepen, groette Nil een paar klanten en maakte ook een praatje met een man die in zijn eentje zat te eten, terwijl mijn vader en ik aan een van de weinige lege tafeltjes gingen zitten.

'Vinden jullie het hier oké?' vroeg Nil toen hij bij ons kwam zitten. We mompelden allebei van wel. Ik had het gevoel dat mijn vader ook een beetje overdonderd was door de ontdekking van deze nieuwe versie van mijn broer. Sinds we het restaurant binnen waren gegaan zaten we op zijn terrein – misschien zaten we al op zijn terrein toen we de Cadí-tunnel in reden – en je kon merken dat hij op zijn gemak was, op zijn plek, terwijl mijn vader en ik vast op verstrooide toeristen leken.

We bestudeerden de menukaart, terwijl Nil ons vertelde wie de man was die hij bij binnenkomst had gegroet, en wie de vrouw was die daarna naar hem had geglimlacht, en wie die man was met wie hij even had staan praten. Toen hij over de derde kennis vertelde, was ik al vergeten wie de andere twee waren. Ik vond het vreemd dat Nil zo gewoon met ons praatte.

Mijn vader zei een hele tijd niets en ik wist niet of dat kwam doordat hij niet wist wat hij moest zeggen of doordat hij nog moest denken aan ons gesprek van een paar uur tevoren, toen ik had gezegd: 'Laat mij het woord maar doen.' Het was eigenlijk niet nodig dat mijn vader of ik iets zei, want Nil stortte een woordenvloed over ons uit. Maar het waren oppervlakkige, lege woorden – de woorden van iemand die om de hete brij heen draait en niet ter zake durft te komen. Ik voelde me als in een wolk van mist; ik probeerde de betekenisloze woorden te ontwijken om de woorden die echt iets zeiden te kunnen grijpen; ik probeerde de verborgen boodschap te ontcijferen die achter die ongekunstelde en gelukkige houding school, totdat ik opeens, door een zin die hij tussen twee slokjes wijn door uitsprak, bij de plek kwam die ik al had gezocht vanaf het moment dat ik hem bij het benzinestation had zien staan.

'Soms ben je zo ver weg dat teruggaan geen optie meer is,' zei hij. En het was alsof er een lichtknopje in een kamer van mijn geheugen werd aangedaan, een kamer die al heel lang afgesloten was geweest en die de plek was waar ik alle onbeantwoorde vragen bewaarde die ik op een dag aan mijn broer zou kunnen stellen. Nu het licht aan was, kwamen de vragen als een onvermijdelijke waterval. Nil vertelde dat hij een vrouw had leren kennen, en dat zij hem van de wijs had gebracht op de manier waarop alleen onmogelijke liefdes mensen van de wijs brengen, en dat daarna alles ingewikkeld was geworden en zij hem had beschuldigd van dingen die hij niet had gedaan. Daarom had hij besloten weg te gaan en alles achter zich te laten.

Het was puur toeval dat hij had besloten naar het noorden te gaan. Het lot had hem naar Prats gebracht, en terwijl hij op een vacature bij de dorpsschool wachtte, nam hij verschillende baantjes aan. Hij werkte als ober in een kroeg, en hij had zelfs nog bakstenen gemetseld van huisjes die vlak bij Alp werden gebouwd. Uiteindelijk belandde hij bij het benzinestation aan de autoweg, dat toevallig pal naast de plek stond waar hij op een dag was uitgegleden en door zijn rug was gegaan toen hij een slager had geholpen worsten te sjouwen.

Ik dacht dat hij zijn woorden weer van betekenis ontdeed met anekdotes en onbenulligheden, maar ik voelde ergens ook dat hij uit de grond van zijn hart sprak. Ik realiseerde me hoe gelukkig hij steeds klonk, dat niets hem terugbracht naar een moeilijk verleden. Omdat ik concludeerde dat zijn wonden inmiddels meer dan genezen waren, besloot ik hem de moeilijkste vraag te stellen.

'Wat belette je om ons te laten weten waar je was? Om ons te vertellen hoe het met je ging? Dat het goed met je ging?'

Nil dacht even na.

'We maken allemaal fouten, Sira. Ik begon al fouten te maken toen jij nog een kind was. Soms kom je van de ene fout in de andere. Het is net als met leugens, die zich voortdurend aaneenschakelen. Om er een in stand te houden moet je een volkomen parallelle wereld scheppen die de leugen ondersteunt, en die parallelle wereld bestaat uit een netwerk van kleine verhaaltjes, die onophoudelijk met elkaar in verband staan.'

Nil keek mijn vader uitdagend aan en ik kreeg het gevoel dat wat hij vertelde te maken had met mijn vader, of met mijn ouders. Maar mijn vader vertrok geen spier, alsof hij niet begreep waar Nil het over had, of alsof dat wat Nil onthulde niet zo belangrijk was als die wilde doen voorkomen.

Omdat het stil bleef, vervolgde Nil: 'Het is heel moeilijk om in een vijandige omgeving op te groeien, Sira. Ik heb altijd gevonden dat stellen die het niet met elkaar kunnen vinden gewoon moeten scheiden. Hoe traumatisch het op dat moment ook is, op de lange duur betekent het dat twee mensen weliswaar alleen, maar wel gelukkig zijn, in plaats van twee mensen die samen ongelukkig zijn.'

Ik dacht aan de telefoontjes van Nil, aan de verhalen die hij altijd vertelde en die ik tevergeefs probeerde te ontcijferen. Ik vreesde dat ook dit verhaal zou eindigen zoals alle andere: met een raadsel zonder antwoord. Maar tot mijn verbazing vroeg hij: 'Wat denk jij ervan, Sira? Als twee mensen niet van elkaar houden, is het dan beter dat ze uit elkaar gaan, of dat ze proberen samen te blijven omwille van de kinderen?'

'In het geval van papa en mama, als je dat bedoelt, denk ik dat ze er goed aan hebben gedaan om uit elkaar te gaan. Natuurlijk vond ik het niet prettig toen het gebeurde, maar ik zie nu dat het op de lange termijn het beste was.'

Mijn vader volgde ons gesprek onaangedaan, alsof we het over andere mensen hadden, over andere ouders.

'Ja, onze ouders deden het best goed,' zei Nil. 'Want ze bewaarden het geheim.'

Wat voor geheim? Wist Nil misschien de waarheid achter hun scheiding?

'Mensen zijn vrij om hun eigen geluk op te offeren omwille van de kinderen,' vervolgde Nil. 'Veel mensen hebben dat ook gedaan, met meer of minder succes. Als je het goed doet, merken de kinderen in theorie niet eens dat hun ouders niet samen door één deur kunnen. Want het ergste wat een onverenigbaar stel kan doen is ruziemaken met de kinderen erbij. Denk je ook niet, Sira?'

'Waar heb je het over?' vroeg ik geïrriteerd. Hij gaf me het gevoel alsof ik een klein kind was.

'Ik denk van wel. Ik denk dat als ouders steeds ruziemaken, en de kinderen dat merken, ze maar het best uit elkaar kunnen gaan. Denk je niet?'

'Ja, ik heb al gezegd dat ik vind dat ze er goed aan hebben gedaan om te scheiden.'

'Maar wat nou als een van de kinderen zich wél bewust is van de ruzies? Wat als een van de kinderen steeds die onderliggende haat voelt, gevoed door het jarenlange wachten en de belofte aan een gescheiden toekomst, terwijl het andere kind op een roze wolk leeft, waar de ouders als in een ouderwetse film van elkaar houden? Wat moeten ze dan doen? Scheiden of volhouden? Het sprookje in stand houden voor een van de kinderen, ook al groeit het andere kind op in een hel? Of het geluk van het ene kind kapotmaken om het andere van de vlammen te redden?'

Ik keek naar mijn vader, die zijn hoofd had gebogen en

met zijn voorhoofd op zijn handen steunde.

'De waarheid is hard,' vervolgde Nil, 'maar de tijd heelt alle wonden. Ik had dapperder willen zijn, of beter in staat om op elk moment de juiste beslissing te nemen. Maar de dingen zijn gegaan zoals ze gegaan zijn. En ik heb je nooit ergens de waarheid over kunnen vertellen, maar ik deed mijn best om te zorgen dat je dat had wat je graag wilde hebben.'

Ik keek hem verbaasd aan.

'Wat bedoel je?' vroeg ik.

'Dat ik mijn best deed om te zorgen dat je dat had wat je graag wilde hebben. Wat je het liefst wilde...'

Toen begreep ik het.

Zo kwam ik dus te weten dat mijn broer, vanuit zijn wereld, die voor mij ver en ontoegankelijk was, in zijn tienerkamer vol videobanden, over mijn kindertijd had gewaakt, en het script van een van de cruciaalste momenten in mijn jonge leven had geschreven.

Nil sloeg zijn blik neer en het leek alsof hij alles had gezegd wat hij die dag wilde zeggen, alsof de lichte beweging van zijn hoofd het einde aankondigde van de wapenstilstand van de afgelopen uren.

Maar hij zei nog iets.

'Ik denk dat je de rest van het verhaal van papa en mama moet horen. Het zou geen zin hebben als ik het vertel.' Hij keek mijn vader daarbij strak aan.

4

Ik dacht nog vaak aan de duiker. Ik vroeg me af of hij nog in de ondoorzichtige diepten zou zwemmen, op zoek naar in zeewier verstrikte geheimen, of misschien had hij daar inmiddels genoeg van gekregen en was hij vaker gaan deinen op het stralende en luidruchtige oppervlak van de oceaan.

Hoe zou het nu met hem gaan, na zoveel jaren? Zou hij getrouwd zijn? Zou hij kinderen hebben? Als ik hem op straat tegen zou komen, zou ik hem dan herkennen? Als onze wegen elkaar opnieuw zouden kruisen, zouden we dan vrienden worden, of zouden we elkaar niets meer te vertellen hebben?

Ik weet niet waarom ik meer aan hem dacht dan aan de anderen. Soms miste ik hem zelfs. Misschien was het zijn eenvoud, of onze onschuld, die ik eigenlijk miste. Dat naïeve vertrouwen in de liefde, de overtuiging dat we samen onverwoestbaar waren. Maar eigenlijk miste ik ook de lieve manier waarop we uit elkaar waren gegaan, dat we tegelijk begrepen dat we eigenlijk niet bij elkaar pasten en dat het niets gaf.

Uiteindelijk beschrijft een afscheid ons veel beter dan alles wat eraan voorafging.

In de lente van 2005 leerde ik in de kroeg de architect kennen. Hij koos mij, maar hij had iedere andere vrouw kunnen kiezen. Hij kwam vastberaden maar bescheiden op me af, en hij kreeg al mijn aandacht. Hij zei dat ik mooi was, en ik geloofde hem. Hij legde zomaar zijn hand op mijn schouder en mijn huid tintelde. Zijn ogen waren te donker en zijn haar was te kort, maar hij had mij gekozen; hij had gezegd wat ik wilde horen en had op het juiste moment en op de juiste wijze mijn schouder aangeraakt, waardoor ik dacht dat ik verliefd werd.

Hij was tien jaar ouder dan ik. Ik dacht dat hij meer dingen zou weten, dat hij meer tijd had gehad om te leren en te ervaren, en na te denken over wat hij had geleerd en ervaren. In die tijd dacht ik dat dat belangrijk was: dat hij veel wist, meer dan ik. Maar ik vergiste me.

Hij fascineerde me omdat hij anders was, bijzonder. Hij hechtte belang aan kleine details. Hij praatte over de noodzaak om alles langzaam te doen, ook al hadden we misschien haast. Hij dacht rustig over dingen na. Hij analyseerde alles haarfijn door dingen van alle kanten en op alle mogelijke manieren te bekijken, en praatte er eindeloos lang over. Ik dacht dat hij dat deed om alles beter te begrijpen. Maar ook daarin vergiste ik me.

In zijn huis had hij nauwelijks meubels. In de ene hoek van zijn woonkamer stond een zwarte versleten bank en in de andere hoek, op de grond, een grote tv omringd door stapels boeken, kranten en tijdschriften, alles bedekt met een dikke laag stof. De eerste keer dat ik in dat onbestemde appartement kwam, was het een zonnige zomerse dag en ik vond dat innerlijke landschap, dat iedereen troosteloos zou hebben gevonden, echt aangenaam en romantisch: ik dacht dat ik verliefd was geworden op een uitzonderlijk iemand die wilde leven zonder belang te hechten aan materiële dingen, iemand die zich met stapels boeken omringde alsof het een kunstinstallatie was, iemand die anders was dan andere mensen, en ik prees me gelukkig.

Terwijl ik naar het gordijnloze raam liep om de straat en de gevels aan de overkant te bekijken, vertelde hij me dat hij een keer in een bevlieging al zijn meubels de deur uit had gedaan. Hij deed dat om een nieuw leven te beginnen, om het verleden met andere liefdes achter zich te laten, om vooruit te kijken zonder gestoord te worden door de pijnlijke herinneringen die aan de dingen blijven plakken die ons hebben zien lijden. Terwijl hij dat zei, zwol ik op van geluk, omdat ik wist dat de toekomst van ons was, dat zijn lege huis symbool stond voor de ruimte die ik zou vullen, de vierkante meters geluk die hij voor mij had bewaard. Hij zei dat hij na de dag van de bevlieging nieuwe meubels had willen kopen, maar die nog niet had gevonden. Misschien had hij iemand nodig om hem te helpen zoeken naar het beste voor zijn appartement, vervolgde hij, en hij knipoogde naar me terwijl hij mijn hand pakte om me de rest van het appartement te laten zien.

In de keuken verraadde het met stof bedekte gasfornuis zijn zwak voor afhaal- of kant-en-klaarmaaltijden. In zijn studeerkamer stond de enige tafel die hij in het hele huis had, maar die diende niet als computertafel, want hij had er nog meer stapels boeken en kranten op liggen.

In de slaapkamer was er behalve een matras op de grond alleen een wasrek en een strijkijzerloze strijkplank te zien. Hij had geen kasten. Zijn kleren zwierven steeds van de wasmachine naar het wasrek en van het wasrek naar de strijkplank.

Er was geen stoel in het hele huis, hoewel ik dat pas later merkte.

Na die eerste dag fantaseerde ik vaak dat we samen naar de IKEA zouden gaan om meubels te kopen die we allebei mooi zouden vinden, zodat zijn huis een beetje meer ons huis zou worden en we stukje bij beetje dichter bij onze gelukkige toekomst zouden komen. Maar als ik hem voorstelde om naar de IKEA te gaan, zei hij dat we onze meubels niet daar moesten kopen, dat we naar een designwinkel moesten gaan, waar je echte meubels kon vinden. Als ik hem dan vroeg naar welke winkel hij wilde, begon hij een warrig betoog, om uiteindelijk te zeggen dat hij zijn meubels eigenlijk weg had gedaan omdat ze zijn relatie met de architectonische ruimte verstoorden. Hij zei dat architectuur een hogere kunst was die je niet moest vervuilen met lagere objecten van mislukte ontwerpers. Hij zei dat we onze huizen niet moesten volproppen met meubels en rommel, waardoor we de essentie van onze omgeving uit het oog zouden verliezen, de essentie van zuivere architectuur, die eigenlijk bedacht was om ons gelukkig te maken.

Pas veel later realiseerde ik me dat alles gelogen was, dat hij nooit meubels had gehad, en dat hij alleen maar een uitvlucht zocht om te verhullen dat hij niet in staat was om zelfs de simpelste dingen tot een goed einde te brengen, ongeschikt was voor de elementaire dingen van het leven, ongeschikt om een gewoon leven te leiden.

Maar die eerste dag bij hem thuis zag ik alleen maar een uitzonderlijke man, met een ongebruikelijke gevoeligheid en een geniale intelligentie, die zijn huis van onnodige objecten had ontdaan om beter van kunst en het leven te kunnen genieten en om een ruimte te creëren waarin er ook plek voor mij was.

Ik zag wat ik graag wilde zien, wat ik nodig had om te zien, zodat ik zonder na te denken in die vervloekte relatie kon duiken die me alles zou leren wat ik ooit zou moeten leren.

De architect werkte bij een klein bureau dat hij met een vriend had opgericht nadat hij een paar jaar bij verschillende bureaus in Barcelona had gewerkt. Hij zei altijd dat hij naar zijn werk kon gaan wanneer hij maar wilde, want hij had geen baas. Ik had toen nog geen serieuze baan. Ik deed af en toe een nasynchronisatieopdracht en daarnaast had ik veel vrije tijd; daarom strekten de doordeweekse ochtenden zich vaak eindeloos uit onder het aangename linnen van lome seks. Zo dachten we dat we nog meer van elkaar hielden, maar eigenlijk verscholen we ons allebei simpelweg voor de wereld.

Als we het eindelijk voor elkaar kregen om op te staan, maakte hij het ontbijt klaar, dat elke dag exact hetzelfde was: twee sneetjes geroosterd brood, met boter en aardbeienjam, en een kop koffie die sterker dan een driedubbele espresso moest zijn en groter dan een Amerikaanse koffie. Hij bereidde de koffie in een filterkoffiezetapparaat; hij zei dat met percolators en espressomachines de koffie niet sterk genoeg werd. Met zijn koffiezetapparaat kon hij tien lepeltjes van de pittigste koffie erin doen en de hoeveelheid water die erdoor druppelde nauwkeurig controleren. Als hij koffie voor twee zette, deed hij er twintig lepeltjes gemalen koffie in, en zo zette hij twee kopjes met koffie zo stroperig als petroleum. Ik kon die overdreven koffie echt niet verdragen. Maar ik dronk hem wel. Want als je verliefd bent, smaakt uiteindelijk alles naar suikerspin.

Onze relatie speelde zich vrijwel uitsluitend bij hem thuis af. Ik woonde toen namelijk nog bij mijn moeder en hij had er een hekel aan om samen te zijn in een huis dat niet alleen van ons was. De architect had ook een hekel aan de wijk waar ik woonde. Ik zou er zelf ook nooit voor hebben gekozen om in zijn wijk te wonen, maar dat vertelde ik hem niet. Zijn appartement was aan de Passeig de Gràcia en hij zei altijd dat hij *never* nooit ergens anders zou willen wonen dan in dat meest intense deel van Barcelona. Zijn kantoor lag een paar straten verderop en zijn leven beperkte zich dus tot het deel van de stad dat gaandeweg toeristischer was geworden. Als ik 's ochtends zijn huis verliet op een tijdstip dat alle Barcelonezen al op hun werk zaten, kwamen me hordes mensen tegemoet die alle talen van de wereld spraken, en ik voelde me niet op mijn plek, alsof ik degene was die in een vreemd land terecht was gekomen.

's Avonds na het werk zagen we elkaar weer bij hem thuis, of we gingen uit eten in een restaurant dat ik niet kende. Hij praatte urenlang over schrijvers die ik niet had gelezen, over films die ik niet mocht missen en over tentoonstellingen die zijn leven hadden veranderd. Ik luisterde naar hem en voelde me kleiner dan ooit, onervarener dan ooit, hulpelozer dan ooit. En ik bewonderde hem.

Toen nam hij afstand van alles wat om ons heen was, van alles wat hij wist en waarvan hij wilde dat ik het ook zou weten en begon te praten over het innerlijke leven, over de liefde en over ons. Hij zei dat we bij elkaar hoorden, dat hij voordat hij mij leerde kennen al had geweten dat hij mij zocht, en dat we gelukkig zouden worden. Dat ik het beste was wat hem in de laatste maanden was overkomen en dat hij telkens dommig moest glimlachen als hij aan mij dacht wanneer ik er niet was. En ik luisterde naar hem en dacht dat ik hem ook moest vertellen hoe verliefd ik op hem was, maar ik voelde me klein en onervaren, en liet hem aan het woord. Hij zei dat de eerste maanden van onze relatie het belangrijkst waren, omdat die de fundering zouden vormen voor het huis dat we aan het bouwen waren, voor de toekomst die we later zouden worden – wij samen. En hij zei dat het leven heel ingewikkeld was, maar dat we moesten leren het eenvoudig te houden en van de kleine dingen te genieten. Hij had het met moeite geleerd en dat had hem geholpen om te komen waar hij nu was.

Hij hief zijn glas wijn, keek mij in mijn ogen en zei dat ik nog jong was en dat hij vroeger net als ik was geweest: jong en onvolmaakt, maar dat de tijd hem had geholpen veel te leren, wat hem had gemaakt tot wat hij nu was: gelukkig en minder onvolmaakt. We dronken de wijn die hij had gekozen en hij keek mij diep in mijn ogen en dacht even na, alsof hij de onvolmaaktheden zocht die hij onderweg had afgelegd. Hij vouwde bedachtzaam zijn servet en met een zachtere, doordringende stem zei hij dat een van de onvolmaaktheden die de tijd hem niet had ontnomen zijn gevoeligheid was. Hij zei dat hij zo gevoelig was dat hij soms bang was dat ik hem pijn zou doen.

Ik keek hem geschrokken aan, niet in staat te geloven dat deze man zo breekbaar kon zijn als hij zelf zei, en ik beloofde hem wel duizend keer dat ik hem nooit pijn zou doen. Vervolgens sloeg hij zijn ogen op en zei dat de liefde een wolf in schaapskleren was en dat die wolf sowieso tevoorschijn zou komen, dat we moesten leren hem te temmen, want dat was de enige manier om het levend en wel samen te redden.

Ik wist niet of ik de wolf was, of hij, of dat het onze relatie was, maar ik beloofde hem dat we de wolf samen zouden temmen en dat we ons eruit zouden redden en dat ik alles zou leren wat nodig was om samen en gelukkig te zijn.

Ik geloofde alles. Ik hoopte dat ik gaandeweg dezelfde dingen zou leren als hij had geleerd. Ik hoopte dat hij me die dingen zou leren. Ik had niet door dat hij langzamerhand en heel subtiel en omzichtig zijn verhaal met dat gelukkige einde – dat huis dat we samen aan het bouwen waren, die geweldige toekomst die in het verschiet lag voor degenen die leerden van de kleine dingen te genieten – in de steek liet. Ik had nog niet geleerd dat er in relaties een peilloze kloof bestaat tussen theorie en praktijk, een kloof die alles wat er de eerste maanden van kennismaking wordt gezegd scheidt van dat wat er in de jaren van samenzijn wordt gedaan. De woorden van de architect waren lichtjaren verwijderd van zijn daden. Maar het duurde lang voor ik dat doorhad. Want ik was jong en naïef, en vertrouwde erop dat hij ouder en wijzer was.

5

'Misschien heb je gelijk, misschien is er genoeg tijd over-
heen gegaan. Maar ik denk dat je moeder degene zou moeten zijn die het allemaal vertelt,' zei mijn vader terwijl hij
in zijn koffie roerde in het restaurant in Prats.

Nil en ik antwoordden niet. Na een paar minuten stilte
schraapte mijn vader zijn keel en vervolgde: 'Toen Nil vier
was, zaten we in een relatiecrisis, zoals alle stellen die soms
hebben. Een slechte periode, een tijd van twijfel en verwijten... Je moeder ging een paar dagen van huis weg om over
onze relatie na te denken, om weer lucht te krijgen en terug te kunnen komen met nieuwe energie.'

'De beruchte reisjes naar Frankrijk,' zei Nil.

'Nee. Ze ging niet naar Frankrijk. Ze ging naar Oviedo,
naar een vriendin uit haar studietijd. Eerst logeerde ze
daar een week en keerde terug, maar kort daarna vertrok
ze weer en toen bleef ze een maand weg. Ik bleef volkomen
in de war achter. Dankzij de hulp van oma en jullie tantes,
die Nil telkens uit school ophaalden, kon ik het redden. Na
die maand kwam ze terug en zei dat we onze relatie nog
een kans moesten geven, maar ik geloofde het zelf niet
echt. Ik kon merken dat ze er niet helemaal bij was, alsof
een deel van haar in Oviedo was gebleven. En ik vergiste

me niet. Het duurde nog een tijdje voordat ze eraan toegaf, maar uiteindelijk moest ze het toch vertellen, want ons dagelijkse leven was duidelijk uit elkaar gevallen.'

Mijn vader zweeg even en schonk wat water in het glas waar hij net wijn uit had gedronken. Hij nam een slok en vervolgde: 'Op een gegeven moment vertelde ze dat ze verliefd was geworden op iemand anders.'

Ik keek verbaasd naar Nil en kon aan zijn gezicht zien dat hij dit al wist.

Mijn vader bleef praten met zijn ogen op het wijnglas gericht.

'Ze had hem in Oviedo ontmoet. Het was zo'n allesverwoestende verliefdheid, zoals ze dat zo mooi zeggen, en ze probeerde er alles aan te doen om hem te vergeten, om ons gezin weer op de rails te zetten, om Nil niet te verwaarlozen. Toch lukte het haar niet, want ze kon die man niet uit haar gedachten krijgen. Ik wist niet wat ik tegen haar moest zeggen. Natuurlijk wilde ik dat ze bij ons bleef, dat ze niet zomaar alles kapotmaakte wat we samen hadden opgebouwd. Maar ik wilde haar ook niet met iemand anders moeten delen. Ik wist ook dat ik er harder aan moest trekken, dat ik haar meer aandacht moest geven, dat ik meer tijd in onze relatie moest steken, en minder in mijn werk. We zouden er allebei heel hard aan moeten werken en dan zou het ons wel lukken. Dat spraken we toen dus af: we zouden ons gezin nog een kans geven. Ze was opgelucht dat ze me haar affaire had kunnen opbiechten, en ik wist dat ik een aantal dingen moest veranderen om ervoor te zorgen dat alles hetzelfde bleef. We beloofden elkaar van alles en we dachten echt dat we een nieuw tijdperk in gingen, een beter en eerlijker tijdperk dat ons dichter bij elkaar zou brengen. Maar het lukte ons geen van tweeën om te veranderen. Zij kon die man niet vergeten en ik kon mijn werk niet loslaten. Een tijd later vertrok ze weer naar Oviedo. De reisjes stapelden zich langzaamaan op en een tijdlang deden we alsof alles goed zou komen, als ze maar af en toe naar hem kon vluchten.'

'Maar hoe kon je zoiets accepteren?' vroeg ik boos.

Mijn vader dacht even na en zei: 'Iedereen doet wat hij het meest geschikt acht, afhankelijk van het moment en de plaats waar hij zich bevindt. En voor mij, voor ons, leek dat toen het meest geschikt.'

'Laat hem zijn verhaal afmaken, Sira,' zei Nil nog.

'Zo gingen er een paar maanden voorbij, totdat je moeder op een dag zei dat ze zo niet verder kon en dat ze besloten had bij hem te gaan wonen. Mijn wereld stortte in. Toch had ik ergens altijd wel geweten dat die kans heel groot was. De zomer was net begonnen toen ze ermee kwam. We besloten dat Nil tijdens de schoolvakantie bij mij zou blijven en dat je moeder hem in september zou komen ophalen om hem mee naar Oviedo te nemen. Ik deed wat ik kon om de zomer te overleven. Nil en ik zaten vaak bij opa en oma, en ik wende langzaam aan het idee dat ik voor mezelf een nieuw leven op poten moest zetten.

Toen, begin september, kwam je moeder weer thuis. Met een buik van vier maanden en een depressie van hier tot Tokio. En ze zei dat ze terug was, dat we het opnieuw moesten proberen.'

'Wat? Was ze toen zwanger van mij?' vroeg ik verbluft. 'Ben ik dus...'

'Nee. Trek niet te snel de verkeerde conclusies. Je bent mijn dochter; daar bestaat geen twijfel over. Je moeder was al zwanger toen ze die zomer vertrok, maar dat heeft ze mij toen niet verteld.'

'En was ze van plan om dat nooit te vertellen?'

'Dat weet ik niet. En ik denk er liever ook niet over na. Alles is gelopen zoals het gelopen is. Punt uit.'

'Waarom kwam ze terug? Had die man het uitgemaakt? Wilde hij haar niet meer toen ze een dikke buik kreeg?' vroeg ik cynisch.

'Nee. Het ligt allemaal een stuk ingewikkelder.'

'Wat is er dan gebeurd?'

'Nou... die man... hij had problemen. Beter gezegd: hij was depressief.'

'Kreeg mama daar op een bepaald moment genoeg van?'

'Nee.'

'Wat dan wel?'

Mijn vader keek me aan, maar het lukte hem niet een antwoord te formuleren.

'Wat is er gebeurd?' vroeg ik aan Nil.

'Hij pleegde zelfmoord,' zei mijn broer.

'Waarom?'

'Ik weet het niet,' zei mijn vader. 'Misschien had hij een bipolaire stoornis, waardoor hij de ene dag euforisch was en de volgende dag alles somber inzag.'

Er viel een stilte. Ik dacht aan wat ik net had gehoord. Als die man niet had besloten zelfmoord te plegen, was hij misschien mijn vader geworden. Ik was dezelfde persoon geweest, maar ik zou in Oviedo bij een ander gezin zijn op-gegroeid.

Ik was nog nooit in Oviedo geweest en kon me niet voor-stellen hoe mijn leven er dan zou hebben uitgezien. Het was ook onzin om daarover na te denken, want uiteinde-lijk was mijn moeder teruggekomen en daarmee was alles weer op zijn plek gevallen.

Maar als mijn vader zich nou eens vergiste? Wat als ik wel de dochter van die man was? Dat zou verklaren waarom ik altijd had gedacht dat Nil en ik van verschillende planeten kwamen.

'Hoe weet je zo zeker dat mama je niet heeft bedrogen? Misschien pleegde die man juist zelfmoord nadat hij te weten was gekomen dat mama zwanger was. Misschien deedie het toen hij hoorde dat het kind dat ze droeg, het meisje dat ze droeg, van hem was... Hoe kun je er zo zeker van zijn dat jij mijn vader bent?'

'Omdat ik een vaderschapstest heb gedaan. Ik had namelijk ook mijn twijfels.'

Nil keek me bezorgd aan, alsof hij bang was dat al die informatie te pijnlijk voor me was. Even vreesde ik dat er nog meer geheimen waren, nog meer leugens, iets wat mij echt kon kwetsen.

'Dus dat betekent allemaal... dat ik een ongelukje was? Dat jullie geen kinderen meer wilden hebben?'

'Natuurlijk wilden we meer kinderen. We hadden altijd al een jongen en een meisje gewild. Maar jij weet ook wel dat het leven vaak niet loopt zoals je je het had voorgesteld. Toen je moeder erachter kwam dat ze zwanger was van jou, had ze dat helemaal niet verwacht. En ik ook niet. Al wil dat niet zeggen dat je niet welkom was.'

'Zou het kunnen zijn dat ze je niets over haar zwangerschap had verteld, omdat ze eigenlijk een abortus wilde?'

'Wat zeg je nou, Sira! Dat soort dingen moet je niet eens denken. Laat het nu rusten,' zei mijn vader.

Maar Nil trok een gezicht, en ik vermoedde dat ik zojuist het antwoord had gevonden. Ik keek weer naar mijn vader en probeerde op een andere manier dezelfde vraag te stellen, maar hij gaf me geen kans. Er viel opnieuw een pijnlijke stilte.

Wat als ik eigenlijk niet geboren had mogen worden? Alleen al door erover na te denken werd ik duizelig.

De ober kwam ons vragen of we nog iets wilden drinken. Het restaurant was intussen bijna leeggelopen; er waren nog maar twee tafels bezet waar mensen rustig zaten na te praten. Nil zei dat we niets meer hoefden, maar mijn vader bestelde nog een fles water. Ik dacht dat hij dat deed omdat er nog veel te zeggen viel.

Toen vertelde hij dat mijn moeder het hele najaar in bed had gelegen, dat ze totaal geen energie had, en dat hij zich toen veel zorgen maakte over mij, over hoe ik zou opgroeien in zo'n situatie. Ze praatten toen blijkbaar veel over de mogelijkheid toch te gaan scheiden, ieder hun eigen weg te gaan, maar uiteindelijk was het mijn vader gelukt mijn moeder ervan te overtuigen dat ze bij elkaar moesten blijven voor ons, de kinderen. Mijn moeder stelde toen slechts één voorwaarde: dat ze af en toe even weg zou mogen. En mijn vader ging daarmee akkoord.

Mijn moeder was dus maar één keer naar Frankrijk gegaan voor haar werk. Alle andere keren ging ze naar Oviedo, om weer op krachten te komen, om weer in contact te komen met het leven dat niet had mogen zijn, via de studievriendin die de laatste schakel was met de man met wie ze een relatie had. De man die niet meer wilde leven en die misschien, door zelfmoord te plegen, een abortus had voorkomen en mijn leven had gered.

Toen mijn vader klaar was met zijn verhaal bleef hij even naar de tafel staren. Een poosje later voegde hij eraan toe: 'Maar dit had je van je moeder moeten horen, want dit is eerder haar verhaal dan het mijne.'

Ik zei dat hij gelijk had, maar dat ik blij was dat hij het had verteld, want ik was er zeker van dat als mijn moeder dat had gedaan, ik nooit een manier zou hebben gevonden om het haar te vergeven.

Om halfzes verlieten we het restaurant en even later namen we afscheid van mijn broer, die in de smalle straatjes van het dorp verdween, terwijl wij de auto startten en koers zetten naar het verleden.

Op de terugweg zeiden mijn vader en ik geen woord. We waren Nil gaan opzoeken om te horen waarom hij was weggelopen, we waren van huis gegaan om mijn broer te redden, en we keerden verslagen terug. We reden terug met het gevoel dat Nil degene was die ons moest redden, dat hij als enige van ons gezin ons verleden had begrepen en het voor elkaar had gekregen om het een plek te geven.

Ik liet herinneringen aan en gevoelens uit mijn kindertijd toe. Ik dacht aan de dag, zo lang geleden, dat er een nieuwe wereld voor me openging toen mijn ouders me de sjerp cadeau gaven en ik castellera mocht worden. En ik dacht aan de verwarring daarna, aan de onmogelijkheid om het cadeau te begrijpen, aan de speculaties met Rut op het schoolplein. Hoe konden we iets vermoeden als we de sleutel misten om alles te kunnen begrijpen?

Hoe moest ik mijn hele leven herzien om aan al mijn stappen een nieuwe betekenis te geven?

6

Zien de mensen die naar ons kijken dat Rut een gescheiden moeder met drie kinderen is, en dat ik de reisgezel om
met me naar het einde van de wereld te gaan nog niet heb
gevonden? Zou het andersom kunnen zijn? Zou ík de gescheiden moeder kunnen zijn? We zoeken tenslotte allebei hetzelfde. We zoeken allebei een metgezel, maar zij
torst koffers vol met gezinsverplichtingen en ik vol met teleurstelling. Haar koffers zijn groter en je kunt ze van mij-
lenver zien. Mijn koffers zijn bescheiden, maar zo zwaar
als een aambeeld. Die van haar begrijp je meteen; die van
mij kun je aanvoelen.

Kun je aan het gezicht van een vrouw aflezen of ze moeder is of niet? Misschien is er iets in haar blik, in de intuïtieve manier waarop ze op de omgeving reageert, wat vrouwen die kinderen op de wereld hebben gezet kenmerkt en
hen onderscheidt van degenen die dat niet hebben gedaan.
Ik kan het niet zien, maar ik durf te wedden dat moeders
dat wel kunnen. Ongetwijfeld zien ze ook dat ik geen moeder ben. Ze merken dat ik die intuïtieve manier van reageren niet heb. Het staat vast op mijn voorhoofd geschreven,
en ik merk het niet eens.

We drinken een gin-tonic in een lawaaierige kroeg vol

pubers die doen alsof ze volwassen zijn. We staan er volgens mij allebei een beetje ongemakkelijk bij, maar we hadden geen zin om de avond vroeg te beëindigen. We wilden doen alsof we nog energie hadden voor een lange nacht. Maar ik ben nooit een feestbeest geweest, en als Rut dat al was voordat ze kinderen kreeg, is ze het in elk geval helemaal vergeten toen ze moeder werd. Nu begint alles opnieuw, en we denken dat we terug naar af moeten en alles moeten doen zoals we dat deden toen we echt aan het begin stonden. Daarom staan we nu in de kroeg en ademen dezelfde lucht in als degenen die echt beginnen, die hier voor het eerst zijn, en daardoor beseffen we nu dat we ons vergissen door te proberen terug naar af te gaan. Opnieuw beginnen betekent jezelf opnieuw uitvinden; het betekent zoeken naar een nieuwe manier om te beginnen, want de manier van vroeger is voor mensen die geen koffers dragen. En wij dragen wel koffers.

Dus lopen we met de gin-tonics en de koffers naar het terras van deze kroeg vol met doorzichtige toekomsten en komen in de doffe en onvolmaakte stilte van de Barcelonese nacht terecht. Rut wil iets zeggen, maar ik zou willen dat ze het niet doet. Ik hoop uit alle macht dat ze haar mond houdt, want ik wil graag genieten van de onverantwoordelijkheid en de onschuld die mijn bezwete, door zware jaren versleten huid strelen. Maar ik merk dat ze niet oplet en toch is gaan praten, en ik heb geen idee wat ze heeft gezegd, maar ze kijkt vragend in mijn richting. Ik kijk haar aan en betwijfel of we ooit echt vriendinnen zijn geweest, en vraag me af wat vriendschap is. Misschien is het alleen maar een door eenzaamheid en naïviteit gecreëerde luchtspiegeling. Ik twijfel of ik haar moet vertellen wat ik nu denk, want ergens denk ik dat de puurste manier om

een vriendschap sterker te maken juist is om die vriendschap te bespreken. Maar ik denk dat ze het niet zal begrijpen, want de jaren zijn voorbijgegaan en het leven heeft
ons op verschillende wijzen gevormd. We kunnen niet
meer over vriendschap praten, om dezelfde reden waarom
we al heel lang niet meer over gele dagen praten: omdat we
nu volwassen zijn. En ik denk dat volwassenen geen tijd
hebben om het leven te analyseren, omdat ze het alleen
maar simpelweg beleven.

Uiteindelijk doe ik mijn mond open en zonder er verder
over na te denken zeg ik dat de tijd alle wonden heelt, en
na een slokje van mijn gin-tonic te hebben genomen ver-
volg ik met de opmerking dat ze gelijk had toen ze twintig
jaar geleden zei dat dat actricegedoe van mij flauwekul
was. Maar ik zeg dat ik geen andere optie had, dat ik moest
geloven dat ik actrice wilde worden om te kunnen komen
waar ik nu ben. Als ik rechten had gestudeerd, was ik nu
iemand anders geweest, en ik wilde niet iemand anders
zijn. Op het moment dat ik dat zeg, bedenk ik dat zij wel
rechten heeft gestudeerd en dat ik dat laatste misschien
niet had moeten zeggen, maar het is al te laat.

Dan antwoordt ze: 'Ik had het niet op die manier moeten zeggen, ook al was het waar. Ik kwetste je en dat dreef
ons uit elkaar.'

Ik ben bang dat ze denkt dat we allebei gelukkiger waren geweest als we nooit uit elkaar waren gegaan, want ik
weet dat dat niet waar is, ik weet dat het geen zin heeft om
ons af te vragen hoe alles was geweest als...

'Maar ja, het leven is een opeenstapeling van dat soort
drempels,' vervolgt ze. 'We kunnen er nu niets meer aan
doen. Ik ben in mijn eentje rechten gaan studeren, en jij
ging naar de toneelschool. We kregen allebei nieuwe vrien-

den en we lieten onze vriendschap voor wat hij was, net als zoveel mensen doen, zelfs zonder de dingen te zeggen die wij tegen elkaar zeiden.'

Ik weet niet wat ik moet zeggen, want ik twijfel nog steeds of we over vriendschap zouden moeten praten, en over hoe die van ons was, maar ik durf het niet. Daarom neem ik nog een slok gin-tonic en vraag haar hoe haar studietijd was, of ze er plezier in had, en of ze het werk dat ze nu doet leuk vindt.

Maar het lijkt alsof ze me niet heeft gehoord, alsof mijn vraag haar niets kan schelen, want ze zegt: 'Ik heb veel aan jou gedacht toen ik ging scheiden. Over hoe ik het aan mijn kinderen moest vertellen en over hoe ze zouden reageren.'

Ik vind mezelf egoïstisch, want zij heeft al die jaren wel aan mij gedacht en ik niet aan haar. Ik dacht alleen aan Rut als mijn vader me vroeg of ik iets van haar had gehoord en ik geïrriteerd antwoordde dat ik hem drie maanden geleden ook al had verteld dat ik al jaren niets meer van haar had vernomen. Nu blijkt dat zij wel aan mij dacht, en dat ze misschien zelfs had overwogen om me op te zoeken, om een manier te vinden om met me te praten, zodat ik haar kon helpen haar kinderen te zien op dezelfde wijze als ze mij had gezien de dag dat ik in een plataan klom omdat mijn ouders uit elkaar gingen.

Ik vraag haar hoe oud haar kinderen waren, van wie ik me niet meer herinner of ze gezegd heeft dat het twee jongens en een meisje waren of twee meisjes en een jongen, waarop ze antwoordt: 'Adriana, de oudste, was tien jaar, Valentina was acht en Salvador zeven.'

Terwijl ik eigenlijk aan de arme kinderen en hun scheidingstrauma zou moeten denken, vraag ik me tot mijn verrassing af waarom Rut haar kinderen zulke lange namen heeft gegeven. Ik stel me voor dat wanneer ze hen alle drie achter elkaar moet roepen, ze adem te kort zal komen. Maar ik vind die gedachte ongepast en dat ik weer aan de arme kinderen die onder de scheiding leden moet denken. Maar de gin-tonics zijn bijna op en de logica is inmiddels ver te zoeken, want we hebben ook wijn gedronken tijdens het eten, en door de vermoeidheid samen met de alcohol en het feit dat we er niet meer aan gewend zijn, heb ik mezelf niet meer onder controle en ik flap de opmerking over de namen van de kinderen eruit.

Ze kijkt me even aan en ik weet niet of ze boos of verrast of enigszins dronken is, maar dan lacht ze opeens en zegt: 'Je hebt gelijk! Maar het was wel een weloverwogen beslissing! Pau en ik vonden altijd dat onze namen te kort waren, dat we door onze korte naam overal minder ruimte innamen. We wilden dat onze kinderen alle ruimte zouden krijgen die ze verdienden – op formulieren, op lijsten, overal. Vooral lange namen, zeiden we altijd, zodat ze niet onopgemerkt blijven.' Ze is even stil, kijkt me dan aan en zegt: 'We waren pas twintig, Sira!'

Dan lieg ik een beetje en zeg tegen Rut dat ik de namen van haar kinderen mooi vind en dat ik zelf nog nooit over de lengte van namen had nagedacht. Vervolgens herinner ik me dat ze heeft gezegd dat de vader van haar kinderen Pau heet en ik vraag me af of hij de Pau van de colla castellera is. Omdat ze me zo weinig heeft verteld over haar man, of ex-man, vraag ik haar of hij dezelfde Pau is die ik ook ken, en ze zegt dat dat inderdaad zo is, en voegt eraan toe: 'Toen je uit de colla stapte, zag ik Pau regelmatig bij het café en vaak zaten we even met z'n tweeën voordat de anderen kwamen. In die korte momenten leerden we elkaar gaandeweg kennen, je weet hoe dit soort dingen gaan, of... hoe ze toen gingen.' Ze is even stil en glimlacht nostalgisch. 'Nou goed... op een dag vroeg hij me mee uit, en zo begon het allemaal. We zaten toen in het derde jaar van de universiteit. Hij studeerde bedrijfskunde. Adriana is vier jaar later geboren. We hadden het niet gepland. Op dat moment zagen we het als een cadeau en als een teken dat we samen moesten blijven. Ik was zes maanden zwanger op de bruiloft. Stel je je voor! Maar we waren op dat moment heel gelukkig. Toen we trouwden dacht ik echt dat er niets fout kon gaan, ik zweer het je.'

Maar ze vertelt dat het wel fout ging, dat liefde soms niet genoeg is, want voor een leven samen zijn ook andere dingen nodig. En het waren de andere dingen die bij hen mislukten. Meer vertelt ze er niet over; ze zegt dat ze geen zin heeft om over dat soort dingen te praten, terwijl ze overweegt om nog een gin-tonic te bestellen. Ik vind het prima dat ze verder niets meer wil vertellen, want als ze dat wel zou doen, zou dat betekenen dat ik ook iets zou moeten vertellen – dingen die ik niet van plan ben ooit nog aan te roeren.

7

Na het reisje naar Prats met mijn vader moest ik mijn moeder bellen om haar te vertellen dat Nil nog leefde. Ik wist dat ik het moest doen, maar ik werd verlamd door angst. Ik had behoefte haar naar Oviedo en Frankrijk te vragen, en naar alles wat er was gebeurd terwijl ik in haar groeiende buik zat en me voorbereidde op mijn geboorte. Maar als ik de deur naar al die vragen open zou trekken, was ik bang dat onze relatie op zijn kop zou worden gezet, en ik was er niet zeker van of ik er wel klaar voor was om die verandering te aanvaarden.

Maar als ik geen vragen stelde, zou ik dan zomaar met haar kunnen blijven praten alsof er niets gebeurd was? Zou ik haar nog recht kunnen aankijken nu ik wist dat ze op het punt had gestaan mijn leven ongedaan te maken?

Er waren zoveel dingen waarvan ik dacht dat ze een plek moesten krijgen dat ik niet wist waar ik moest beginnen.

Ik wachtte een paar dagen, in de hoop dat de waarheid die ik net had ontdekt zich langzaamaan zou nestelen. Ik zocht naar een plek om de teleurstelling en het verdriet te bewaren. Ik deed moeite om me de fijne momenten met mijn moeder te herinneren, en om ze van dichtbij te voelen, om ze levendiger te maken dan de desillusie en de pijn.

Toen ik het gevoel had dat ik de balans had hervonden, verzamelde ik al mijn moed en toetste haar nummer in.

Terwijl ik het belsignaal hoorde, twijfelde ik nog of ik haar iets moest vragen of dat ik het allemaal zo moest laten. Zodra ik haar eenmaal aan de lijn had, durfde ik de dingen niet te veranderen en hadden we het uiteindelijk alleen maar over Nil.

Ik dacht toen dat het het belangrijkst voor me was dat ik nu wist waar onze geschiedenis was begonnen. Misschien vormde een confrontatie met mijn moeder over haar verleden een te groot risico op een nieuwe breuk in ons toch al gebroken gezin, dat we probeerden te herstellen nu we mijn broer hadden gevonden.

Zodra ze opnam zei ik dat ik goed nieuws had over haar zoon. Ze slaakte een gil van vreugde en vroeg of ik hem had gesproken. Maar toen ze hoorde dat ik Nil met mijn vader was gaan opzoeken en dat ik haar daarover niets had verteld, werd ze vreselijk boos. Toen barstte ik bijna uit door te zeggen dat ik veel meer reden had om boos op haar te zijn, maar uiteindelijk beet ik op mijn tong en liet haar uitrazen. Ze vroeg me honderduit over Nil, waar hij was geweest en waarom hij weg was gegaan, en toen ik alles had verteld wat haar zoon had gezegd, was het even stil. Toen vroeg ze of ik er zeker van was dat alles waar was – of het niet zo kon zijn dat Nil ons in de maling nam en troebele verhalen met drugs of criminaliteit verborg. Ik zei dat ze vertrouwen moest hebben, dat alles goed was met haar zoon – beter dan ooit eigenlijk. Daarna verzekerde ik haar dat Nil over een paar dagen naar Barcelona zou komen en dat we met z'n vieren uit eten zouden gaan.

Dan zou ze het met eigen ogen kunnen zien.

Nil kwam op bezoek en we gingen naar een restaurant dat we geen van allen kenden, alsof we het neutraalste gebied hadden gezocht, het gebied met de minste herinneringen dat in Barcelona te vinden was.

Mijn moeder omhelsde Nil alsof haar zoon haar planten nooit had mishandeld, alsof hij haar zich niet halfdood had laten schrikken toen hij net voor kerst verdween, alsof hij eigenlijk de brave zoon was op wie moeders alleen maar trots kunnen zijn. Of misschien omhelsde ze hem alsof ze hem op hetzelfde moment alles vergaf.

Mijn vader en moeder gedroegen zich zoals altijd – afstandelijk, maar vriendelijk – en ze richtten alle aandacht op ons, om niets over hun eigen leven te hoeven vertellen en te voorkomen dat er in de loop van de tijd begraven vragen of verwijten zouden opborrelen.

We aten alsof er niets was gebeurd en alsof we weer een normaal gezin waren.

Nil vertelde dat hij gelukkig was in Prats, dat hij daar wilde blijven, dat het werk bij het benzinestation hem de mentale ruimte gaf om na te kunnen denken, en dat voor hem denken een van de belangrijkste dingen was die het leven te bieden heeft.

Omdat het weerzien hartelijk was en het gesprek op de toekomst was gericht, durfde niemand vragen te stellen over alles wat was blijven liggen. We deden met z'n allen alsof het verleden geen pijn meer deed, alsof er geen verwijten of angels achtergebleven waren, en alsof we vanaf dat moment een gezin zouden kunnen worden als alle andere die af en toe bij elkaar komen om samen te eten en te praten, en van een afstandje van elkaar houden.

Maar zo'n gezin werden we niet. Want om dat te worden, hadden we dingen moeten uitpraten, en dat deden we niet.

Per slot van rekening maakt iedereen zijn eigen geschiedenis. En als de tijd zijn werk goed doet, komen mensen er uiteindelijk achter wie ze werkelijk hadden moeten zijn.

Toen ik die avond thuiskwam bedacht ik dat ik niet eens wist of mijn vader of moeder nieuwe partners hadden, of ze een nieuw leven waren begonnen na hun gebroken gezin. Ik wist ook niet of Nil daar in Prats zijn leven met iemand deelde. En natuurlijk waren mijn ouders en mijn broer niet op de hoogte van mijn woelige verleden met een labiele architect, of van het feit dat ik nu helemaal alleen was en dat ik soms dacht dat ik beter af was als dat zo bleef.

8

En zo werd het leven met de architect stukje bij beetje een gevangenis van heel lief uitgesproken woorden. Dat is de wreedste gevangenis van allemaal, omdat de gevangene er jaren verblijft zonder zich te realiseren dat ontsnappen onmogelijk is. Als hij uiteindelijk doorheeft dat hij opgesloten zit, kan hij de tralies die hem tegenhouden nauwelijks onderscheiden van de rolluiken die hem beschermen tegen de kou buiten.

De muren van mijn gevangenis bestonden uit onvoorwaardelijke liefde, romantische avonden en voorgekookte zinnen ontleend aan succesliedjes. En ze waren stevig, echt stevig, die muren. En daarbij kwamen nog de tralies. Die waren gemaakt van kleine, onbelangrijke klachten, van subtiele aanpassingen die er gedaan moesten worden om beter van elkaar te houden. Het duurde lang voordat ik de tralies zag, want elke keer dat ik er een meende te zien, werd ik door de architect gewezen op de muren, die belangrijker waren, die de structuur van onze liefde vormden, die het bewijs waren van zijn liefde voor mij. Elke keer dat hij zei dat hij van me hield, geloofde ik hem.
Maar meteen nadat hij dat had gezegd, vroeg hij of ik

niet besefte dat ik altijd te snel ging, dat de wereld aan mij voorbijging omdat ik niet de tijd nam om te stoppen en te kijken, en toen zei hij weer dat hij van me hield, en verzocht me langzamer te lopen om het leven beter te begrijpen. Vanaf dat moment ging ik erop letten, op zijn manier van lopen en op mijn manier van lopen. Ik bewonderde zijn manier van zich voortbewegen, met die ernstige en onverstoorbare rust die een harteloze zekerheid uitstraalde. Ik bedacht dat hij waarschijnlijk gelijk had, en dat ik gelukkiger zou zijn als het me zou lukken om net zo te lopen als hij.

Toen zei hij op een dag dat hij van me hield en vroeg vervolgens of ik niet had gemerkt dat ik te hard praatte. Hij verzocht me om mijn stem niet zo te verheffen en om te leren fluisteren en naar de stilte te luisteren; anders zou ik mijn omgeving storen. Toen ik erop begon te letten, realiseerde ik me dat mijn stem luider en hoger was dan die van hem, en ik vroeg me af hoeveel mensen het zouden hebben gemerkt en zich aan mijn stem zouden hebben gestoord, en waarom niemand me ooit had durven vertellen dat het beter was om te fluisteren. Daarna zei hij dat hij van me hield, en we lachten en gingen op vakantie, en we vrijden en waren even gelukkig.

Later, op een andere dag, zei hij dat hij van me hield en dat hij zich zorgen maakte om de relatie met mijn ouders, omdat hij het gevoel had dat ze niet genoeg van me hielden en dat ze me misschien niet hadden geleerd wat liefde was. Maar hij hield wel van me, en door meer dan wie ook van mij te houden was hij ervan overtuigd dat hij me zou redden van dat eiland van onliefde waar mijn ouders me hadden achtergelaten. Toen dacht ik dat hij misschien wel gelijk had, want ouders die scheiden zadelen hun kinde-

ren altijd met een of ander trauma op. Waarschijnlijk kende hij me zo goed dat hij dat trauma had ontdekt. Daarna
zei hij dat hij van me hield. Maar even later twijfelde ik
weer en vroeg ik me af of een architect die geen meubels in
huis had wel het recht had om te oordelen over mijn relatie met mijn ouders, die hij niet eens kende. Toen zei ik dat
tegen hem en kregen we ruzie, maar daarna maakten we
het weer goed en waren we gelukkig; we vrijden en knuf-
felden de hele nacht alsof er niets was gebeurd, en hij zei
dat hij van me hield.

En toen, op een lome zondagochtend, nadat we hadden
gevrijd, duwde hij de hand weg waarmee ik zijn rug streelde, kwam naast me overeind en zei dat ik hem niet zo snel
moest strelen, dat mijn vingers veel langzamer over zijn
huid moesten gaan. Ik deed het namelijk op een manier
waarop het leek alsof mijn strelen geen bewijs van liefde
was, maar een verplichting die ik mechanisch uitvoerde,
alsof ik er geen zin in had. Ik keek hem in zijn ogen, zoe-
kend naar wat daar zat, in dat hoofd dat ik zo lang had be-
wonderd en aanbeden, en hij streelde me met een langza-
me beweging, zoals hij het wilde, en onwillekeurig schoot
het door mijn hoofd dat die man een muggenzifter was.
Maar goed, iedereen had zijn buien, en als het alleen maar
om de snelheid van mijn strelingen ging – oké, ik zou het
proberen. Een relatie is tenslotte een overeenkomst waarbij elke partij zich aan de andere aanpast om te overleven.
Toen zei hij weer dat hij van me hield en dacht ik dat alles
goed zou komen.

Daarna, zomaar op een dag na het zien van een tv-serie
op de zwarte en versleten bank bij hem thuis, zei hij dat ik
dapperder moest zijn. Ik keek hem aan en wist niet wat hij
bedoelde. Hij zei dat toen we elkaar leerden kennen ik hem

had verteld dat ik actrice was, maar dat we al twee jaar samen waren en ik nog in geen enkel toneelstuk had gespeeld en mijn tijd verdeed met eerloze baantjes. Dat, hoewel hij van me hield, hij er niet voor had gekozen om bij me te zijn omdat ik eerloze baantjes had, maar omdat ik actrice was. Toen keek ik hem aan en vroeg me af of het mogelijk was dat hij echt zei wat hij zei, en ik voelde me gedenigreerd en klein, en hoewel hij zei dat hij van me hield geloofde ik hem niet meer, en we kregen ruzie; we vlogen elkaar twee dagen lang in de haren. Vervolgens praatten we het uit en gingen we naar de film en uit eten, en daarna naar huis om te vrijen. En hij zei dat hij van me hield.

Weer een andere keer, op een dag dat hij chagrijnig was en we bij hem thuis zaten te bedenken of we uit eten zouden gaan of pizza's zouden bestellen, zei hij plotseling dat ik me niet genoeg zorgen maakte om hem. Hij had me namelijk verteld dat hij slecht had geslapen en ik wist dat hij altijd rugpijn kreeg als hij slecht sliep, en hij vond dat ik hem dus had moeten vragen hoe het met zijn rug was. Ik voelde mijn nek gespannen worden en bedacht dat het inderdaad waar was dat hij me had verteld dat hij slecht had geslapen, en dat ik juist daarom had gevraagd of hij moe was, maar dat het voor mij onmogelijk was om te weten of hij rugpijn had of niet als hij me dat niet vertelde. Dus vroeg ik hem maar hoe het met zijn rug was en zei dat hij op de bank moest gaan zitten, dat ik wel voor het eten zou zorgen, waarop hij zei dat hij van me hield en op de bank ging zitten. Ik maakte een mentale notitie om zijn slechte nachten met rugpijn te verbinden en dacht dat vanaf dat moment alles in orde was, dat ik hem gelukkig zou maken door elke keer als ik hem zag gapen te vragen hoe het met zijn rug was.

Daarna zaten we op een avond in een restaurant dat ik had gekozen omdat mijn kapster het had aangeraden, en opeens pakte hij mijn hand en verzocht me om meer aandacht aan de obers te schenken, om een gesprek aan te knopen met hen, omdat dat beleefd was. Ik keek naar onze ober en vroeg me af of die jongen misschien vond dat ik onbeschoft was, en ik schaamde me, maar daarna keek ik hem weer aan en bedacht dat de arme jongen het druk genoeg had met van de ene tafel naar de andere rennen. Ik werd boos op de architect en zijn absurde verzoeken, maar hij werd nog bozer en zei dat ik nergens mee naartoe genomen kon worden, dat ik ongemanierd was. Vervolgens was hij even rustig en zei hij dat hij het allemaal alleen maar zei omdat hij van me hield, en omdat ik heel moeilijk was; hij moest heel veel moeite doen om bij me te kunnen blijven, maar hij deed het graag, omdat hij van me hield. En hij zei dat het maar om heel kleine gebaren ging, die allemaal op gezond verstand berustten. Toen dacht ik eraan hoe Rut altijd met iedereen in gesprek raakte, waar we ook waren, en daardoor voelde ik me klein en verlegen, en ik zei tegen de architect dat ik mijn best zou doen. Daarna maakten we het weer goed en vrijden we en was alles weer bij het oude. Maar toch niet helemaal.

Toen, zomaar op een dag, zei hij dat ik beter op mijn woorden moest letten, en dat ik niet zo vaak 'groter *als*' mbest zeggen, omdat het fout was en onze taal verpestte, en ik keek hem radeloos aan, dacht aan alle taalfouten die hem ontglipten en vroeg me af wie die man was die daar voor me stond en waar de architect was die twee jaar eerder over flexibel zijn en tolerantie had gesproken, en over niet te prikkelbaar zijn. Maar terwijl ik daaraan dacht, wat me bij een belangrijke beslissing zou kunnen brengen, zoende hij me opeens in mijn nek en zei dat hij van me hield. Toen vergat ik alle 'groter *als*', en de '*enigste*' en de 'ik besef *me* dat' die uit zijn mond waren gekomen.

Zo sleepte het leven zich veel te lang voort. Ik dacht dat hij me leerde om beter en gelukkiger te worden en om beter van elkaar te houden, omdat hij wist hoe dat moest en ik nog niet. Hij had tenslotte al eerder liefde gekend, en ik had alleen maar vriend-en-vriendinnetje gespeeld met een duiker en een paar andere jongens.

Ik dacht ook dat hij echt van me hield, want dat zei hij telkens en ik geloofde hem. En alleen daarom, omdat hij van me hield, en omdat ik dacht dat hij meer wist dan ik, deed ik mijn uiterste best zo te worden als hij van me verlangde, want bij relaties zijn er altijd twee mensen betrokken en je moet een gezamenlijke weg vinden. Hij kende die weg al en wees mij de manier om hem te vergezellen op de weg die ons naar het huis zou brengen waar we samen aan bouwden.

Daarom deed ik het, daarom probeerde ik langzamer te lopen, veel langzamer, ook al had ik haast, en fluisterend te praten om mijn omgeving niet lastig te vallen, ook al was er niemand. Ik maakte me zorgen om de relatie met mijn ouders, hoewel ik – ondanks alles – geen moment het gevoel had gehad dat ze niet genoeg van me hielden, en ik probeerde dapperder te worden en een baan als actrice te zoeken, hoewel ik al had besloten dat ik geen actrice wilde zijn. Ook probeerde ik hem uiterst langzaam te strelen, hoewel ik er kriebels van in mijn vingertoppen kreeg. Ik deed mijn best eraan te denken hem voortdurend te vragen of zijn rug pijn deed, vooral op dagen dat hij slecht geslapen had, hoewel hij nooit zei dat hij rugpijn had. In restaurants probeerde ik in gesprek te raken met de obers, ook al vond ik het gesprek met degene die tegenover me zat veel interessanter, en ik probeerde de 'groter *als*' uit mijn taalgebruik uit te wissen, hoewel ik het onzin vond dat hij me dat vroeg.

Maar ondanks alles, hoewel ik zozeer mijn best deed dat ik me al niet meer kon herinneren hoe ik was geweest voordat hij me begon te modelleren, waren we nog steeds niet gelukkig. We gingen gewoon verder met ruziemaken en het weer bijleggen en kibbelen en vrijen en elkaar afwijzen en opnieuw verleiden alsof we gek waren. Ten slotte kwam het moment waarop ik begon te denken dat ik me misschien had vergist, dat er andere manieren moesten zijn om van elkaar te houden, dat er andere manieren moesten zijn om een gezamenlijke weg te vinden.

Toen dacht ik weer aan de duiker, aan de eenvoud van onze onvolmaakte relatie, aan de oppervlakkige liefde die we deelden, die uit puberale momenten en naïeve onwetendheid bestond. Ik vroeg me af hoe het kwam dat die zachte, korte en verre liefde me nu authentieker leek dan die hel van perfectionisme die de architect gaandeweg om me heen had gebouwd.

9

Ik loop de studio binnen en laat de druipende paraplu achter bij de ingang. De conciërge zegt goedemorgen en ik mopper dat de dag veel beter zou zijn als ik mijn voet niet net in die plas op straat had gezet. Hij kijkt me kwaad aan en ik zeg met een piepstem: 'Sorry.' Hij hoort het niet en vraagt of ik vandaag met een nieuwe film begin, want hij heeft me al dagen niet gezien, en ik beaam dat, dat ik ben aangenomen voor een Finse film. Hij wenst me succes en mijn voeten soppen in mijn schoenen als ik naar de lift loop. Als ik erin stap moet ik denken aan het gevoel na een lange dag werken, als ik op weg naar de uitgang mijn spiegelbeeld in de spiegel van de lift zie en tot mijn verrassing niet de actrice zie naar wie ik de hele dag heb staan kijken om mijn woorden bij haar lippen te laten passen. Ik doe dit werk al vier jaar en het voelt nog steeds vreemd om mijn stem te lenen aan een actrice die niet eens weet dat ik besta.

Ik kom bij de derde verdieping en voel de warmte van de studio, terwijl er buiten een donderslag knalt waarbij een kat dekking zou zoeken onder de bank. Ik kijk links en rechts de gang in, maar zie niemand en loop dan naar de kapstokken, die een stuk verderop staan. Ik moet mijn jas snel uitdoen, anders ga ik zweten en ik heb een hekel aan de rillingen die ik daarna over mijn rug voel. Ik hang de jas op een hangertje en herinner me weer dat ik vandaag een personage vertolk dat Saara heet. Het is de eerste keer dat ik een hoofdpersoon ga nasynchroniseren en hoewel de film helemaal niet bijzonder is zou ik, als ik mijn werk goed doe, er meer werk door kunnen krijgen. Dan hoor ik dat de liftdeur weer opengaat en zie ik er een van top tot teen doorweekte man uit komen. Hij moppert omdat zijn paraplu door een windvlaag kapot is gegaan en omdat hij de al dagenlange regen beu is en de zon weer wil zien. Ik neem aan dat hij de acteur is die het andere hoofdpersonage nasynchroniseert – de overspelige echtgenoot van Saara – en ik realiseer me dat hij exact hetzelfde heeft gedaan als ik net de arme conciërge heb aangedaan. Even ben ik sprakeloos, maar daarna zeg ik snel dat ze in Finland nog minder zon zien dan wij hier. Nadat ik het heb gezegd voel ik me suf, want het is iets wat iedereen zou zeggen en ik wil niet iedereen zijn. Ik wil minstens een beetje origineler zijn dan iedereen. Maar het lijkt alsof hij mijn opmerking wel grappig vindt, of misschien is hij intelligent genoeg om om zichzelf te lachen, en dan steekt hij zijn hand naar me uit en zegt: 'Ik ben de architect. Jij bent zeker mijn vrouw.'

Ik kijk hem met grote ogen aan, waarop hij in lachen uitbarst, en dan moet ik ook lachen. Het lijkt alsof het ijs is gebroken en daardoor zijn we allebei een stuk rustiger als we samen de audiozaal in lopen, hij met zijn kletsnatte schouders, ik met doorweekte sokken.

We worden door de regisseur ontvangen, die ons koffie aanbiedt, terwijl hij ons eraan herinnert dat er op de toiletten handendrogers hangen, die we kunnen gebruiken om onze sokken en trui te drogen. Maar ik zeg dat ik, als hij het goedvindt, liever mijn schoenen uitdoe en mijn voeten op de verwarming zet die in de vergaderzaal staat. En zo zitten we even later met z'n drieën in de vergaderzaal. De regisseur vertelt dat we vanochtend zullen beginnen met de scènes waarin de architect en ik spelen. Hoewel ik weet dat hij bedoelt dat we de scènes gaan doen waarin het hoofdpersonage en haar echtgenoot spelen, krijg ik bij de woorden 'de architect en jij' een buikpijn zoals ik al lang niet meer heb gehad, omdat mijn hersens eraan gewend zijn een beeld van de architect – mijn architect – voor me te zien elke keer dat iemand het onderwerp aanroert, en dit keer heeft de regisseur het onderwerp heel duidelijk aangeroerd. Ik kijk naar de regisseur en naar de kletsnatte acteur, en probeer niet te denken aan die nachtmerrie van vier jaar geleden die ik me had kunnen besparen als ik slimmer of tenminste minder naïef was geweest.

Opeens lijkt het erop dat we niets meer te zeggen hebben. De geluidstechnicus klopt op de deur. We moeten aan het werk, hoewel ik nog koude voeten heb. We lopen de vergaderzaal uit naar de studio en als ik voor de microfoon sta, kijk ik naar het scherm en zie het stilstaande beeld van een blonde actrice die zeker tien jaar ouder is dan ik. De architect komt naast me staan, iemand doet zoals gebruikelijk het licht uit, en dan is alles klaar om te beginnen. De eerste scène blijkt een seksscène te zijn, zodat gezamenlijk kreunen met de kletsnatte architect het eerste is wat ik moet doen om de dag te beginnen. Vervolgens verlaat de Finse architect de Scandinavische slaapkamer, terwijl Saara in bed blijft liggen met haar benen omhoog tegen de muur, net als alle vrouwen doen wanneer ze zwanger willen raken en niet zoveel vruchtbare jaren meer hebben.

Kort daarna komt de architect terug met een bos bloemen en een gitaar, en hij begint te zingen en te springen op het bed.

We gaan verder met een andere scène, waarin Saara en de architect ruzie hebben. Na de ruzie zegt de regisseur dat we het heel goed doen; als we zo doorgaan zullen we vroeg kunnen lunchen. Ik kijk naar de acteur met de natte schouders omdat ik denk dat je dat in zo'n geval moet doen, en hij kijkt me aan en glimlacht.

De derde scène begint met de architect die aan tafel zit en met Saara praat, maar ze luistert niet, totdat ze eindelijk tegenover hem gaat zitten en ik moet zeggen: 'Ik ga een paar dagen weg.'

Dan zegt de architect weer iets, en dan zeg ik: 'Ik wil weten waar we staan. Ik wil weten wie ik ben en wie jij bent.'

Dan kijkt Saara naar een zwangerschapstest en zeg ik: 'Niet zwanger!', en we blijven even stil, om daarna te zeggen: 'Godzijdank!'

Vlak daarna klinkt er een korte klap en valt de stroom in de studio uit. Saara verdwijnt van het scherm en we staan helemaal in het donker, en hoewel het er al redelijk schemerig was en onze ogen al wat aan het donker gewend hadden kunnen zijn, zie ik de eerste minuut helemaal niets en voel ik me ongemakkelijk naast de man met de natte schouders. De regisseur doet de deur van de studio open, waardoor we via het raam op de gang wat licht van buiten krijgen. We lopen de zaal uit en wachten bij het raam, terwijl de regisseur en de geluidsman gaan kijken wat er met de stroom is gebeurd.

Dat is het moment dat de architect die eigenlijk geen architect is en een naam heeft, hoewel ik me niet herinner hoe hij heet, zomaar over de muziek in de film begint en zegt: 'Wist je dat de muziek is gemaakt door een Finse vent die Metallica op zijn cello speelde?'

Ik schud mijn hoofd, waarop hij uitlegt dat hij altijd al fan van heavymetalmuziek is geweest en dat Metallica een van de klassieke heavymetalbands is; hij heeft ze al een paar keer live gezien en ze zijn echt te gek. Enkele jaren geleden blijkt er een band geweest te zijn die Metallica-covers speelde op vier cello's. Hij vraagt of ik er echt nooit van gehoord heb en ik zeg weer van niet, en dan blijft hij even in gedachten verzonken. Ik weet niet of het komt doordat hij niet gelooft dat ik er nooit van gehoord heb, of doordat hij eigenlijk de naam van de band niet meer weet, maar opeens lijkt het alsof hij bijkomt uit die half-apathische toestand die ik niet kon plaatsen. Hij kijkt me aan en zegt: 'Apocalyptica.'

Dan versteen ik, want ik zie alleen nog kikkers en biertjes en castellers. Hij kijkt me aan en ik neem aan dat hij denkt dat ik hem niet goed heb gehoord, want hij legt uit: 'De band van de cello's, die heet Apocalyptica. En een van de jongens van die band heeft dus de muziek voor deze film gemaakt. Die muziek is heel goed, hoor... De film misschien niet zo, toch? Hij is een beetje vreemd, vind je niet? Wat vind jij er eigenlijk van?'

Dan komt de regisseur terug en zegt dat we snel weer stroom zullen hebben. Hij heeft het script bij zich, zodat we de volgende scènes kunnen voorbereiden, en terwijl hij ons de blaadjes overhandigt, gaat het licht in de gang weer aan en we lopen de studio weer in. We doen nog een paar ruziescènes en uiteindelijk werken we de laatste scène van dit eerste blok af, waarin de architect verkleed als pinguïn thuiskomt en na een ijzig en duister gesprek naar buiten rent en ik hem achternaloop en schreeuw: 'Kom terug, sukkel!'

Het licht in de studio gaat weer aan en de regisseur verkondigt dat de minnares en een paar andere acteurs 's middags komen en dat we een paar ingewikkelder scènes zullen opnemen. De architect zegt vervolgens tegen de regisseur dat wij gaan lunchen en vraagt hem of hij mee wil. De regisseur slaat het aanbod af en ik versteen, want nu moet ik lunchen met deze vervelende gast met natte schouders, aangezien ik geen puf heb om snel een smoes te verzinnen om van hem af te komen.

We gaan de straat op. Het regent niet meer, maar het asfalt glinstert nog en de hemel is niet geel. We wachten even op de hoek van de straat om over te steken. Een oud vrouwtje met een wandelstok kijkt me aan en ik kijk haar ook aan. Dan vraagt ze of ik haar kan helpen de straat over te steken, omdat ze bang is uit te glijden, want de witte verf van het zebrapad is echt slipgevaarlijk. Ik bied haar mijn arm aan. Ze legt een uitgeteerde hand boven op mijn onderarm, terwijl de architect voor ons gaat staan om de auto's tegen te houden, die nooit zin hebben om te remmen voor een oversteekplaats. Langzaam lopen we tot we de stoep aan de andere kant hebben bereikt. De vrouw bedankt ons. De architect vraagt haar nog of ze wil dat we nog verder met haar meelopen, maar ze schudt haar hoofd en zegt dat het wel goed komt en bedankt ons hartelijk, waarop we ons omkeren en de andere kant op lopen. De architect die eigenlijk geen architect is, maar ik weet zijn naam nog niet, zegt: 'Ik weet de beste plek om te lunchen.'

10

Toen ik begon in te zien dat het leven met de architect niet helemaal was wat ik ervan had verwacht, waren we al twee jaar verder en was ik al gewend dat mijn wereld onvermijdelijk om zijn wereld heen was gaan draaien.

Ik begon een aantal verborgen twijfels en vragen tot de oppervlakte toe te laten en zat veel ochtenden in mijn eentje in zijn huis. Hij vertrok naar zijn werk en ik deed alsof ik ook op het punt stond te vertrekken, maar wat later dan hij. Hij kuste me, wenste me een goede dag en vertrok. Zodra ik de voordeur hoorde dichtgaan, en zijn eerste stappen op de trap kon volgen, ging ik op de bank zitten en keek ik naar het plafond van het appartement, dat nog steeds zo wanordelijk was als de dag dat ik er voor het eerst was binnengekomen.

Ik keek naar het plafond en de muren, en vroeg me af hoe ik daar terecht was gekomen. Hoe het kon dat ik van alle appartementen in de stad, uiteindelijk in dat levenloze hoekje van de wereld was beland.

Soms had ik momenten van hoop, waarop ik besloot dat ik nog een klein beetje meer mijn best moest doen om gelukkiger te zijn. Omdat ik misschien degene was die dat huis wat leven moest inblazen. Dan stelde ik me voor dat ik de woonkamermuren in levendige kleuren verfde, of de schilderijen die al jaren tegen de muur geleund stonden ophing. Daarna stelde ik me voor dat hij thuiskwam van zijn werk en alles verwonderd bekeek, waarna hij gelukkig werd en echt van me ging houden.

Maar ik had ook momenten waarop ik het opgaf, waarop ik dacht dat ik zo snel mogelijk uit dat huis en die claustrofobische wereld moest vluchten, zodat ik mijn eigen huis en wereld kon vinden, hoewel het een leeg huis en een eenzame wereld zouden zijn.

Tussen de hoop en het opgeven gingen de dagen voorbij. Soms vertrok ik een paar uur later uit het appartement en voelde het alsof ik al mijn energie voor de rest van de dag had opgemaakt. Maar ik moest verder, ik moest werken, en daarna moest ik de architect weer ontmoeten, hoewel ik hem elke dag verder van me af voelde staan. Soms vertrok ik uit het appartement en zei ik tegen mezelf dat ik er nooit meer terug zou keren. Maar in de middag brachten mijn benen me toch weer naar de plek waarvandaan ik in de ochtend was vertrokken.

Totdat ik op een dag, nadat hij naar zijn werk was gegaan, op de bank ging zitten en me zo vreselijk ellendig voelde dat ik uiteindelijk geen andere optie zag dan een besluit te nemen.

Ik ging verf, verfrollers, kwasten en tape kopen. Ik keerde terug naar zijn huis en verfde een muur in de woonkamer die bevuild was door gedachteloze vingerafdrukken en het verstrijken van de tijd.

Toen de muur helemaal wit was, keek ik er een poos naar. Vervolgens tekende ik een perfect vierkant van een meter bij een meter in het midden van de muur. Ik kleurde het in met lichtblauwe verf. Daarna schilderde ik zeven

verticale evenwijdige tralies; tussen elke tralie zat elf cen-
timeter blauwe lucht.

Ik ging er recht voor zitten. De tijd ging voorbij en ik
bleef er bewegingloos naar kijken. Ik probeerde door de
blauwe en ondoorzichtige lucht heen te kijken. Totdat ik
me realiseerde dat ik een gele hemel nodig had. Ik schilderde de acht langwerpige fragmenten lucht over, totdat ze de
kleur hadden die ervoor zorgde dat onze castells succesvol
waren. Daarna ging ik er opnieuw voor zitten en wist ik
wat ik moest doen.

Op de grond, net onder mijn gele vierkant vol tralies,
legde ik de sleutels van zijn huis, waar ik nooit meer een
voet zou zetten. Naast de sleutels legde ik de negatieve
zwangerschapstest die ik die ochtend had gedaan, zodat hij
er zeker van kon zijn dat ik bij vertrek niets van hem meenam.

11

Nil bleef bij het benzinestation in Prats en zette zijn simpele leven voort – waar het passeren van auto's en de seizoenen structuur aan gaven – zoals hij al die jaren voor ons weerzien had gedaan.

Kort na het familie-etentje in Barcelona besloot ik nogmaals naar de Pyreneeën te reizen, maar dit keer zonder mijn vader. Het was twee jaar na mijn relatie met de architect en een paar maanden na de IT'er, en ik had mijn eigen weg nog niet gevonden. Ik dacht dat ik door afstand te nemen alles sneller een plek zou kunnen geven. Ik belde Nil zonder een duidelijk idee hoe ik het hem moest zeggen, maar zodra ik hem aan de telefoon had, waagde ik het erop. Ik zei dat ik hem graag wilde bezoeken en vroeg of hij me van het station in Puigcerdà kon komen ophalen.

Toen de trein al in de buurt van Puigcerdà was, kreeg ik een bericht op mijn mobiel dat Nil me niet kon ophalen, maar dat hij een vriend had gestuurd. Ik moest naar een bestelwagen van slagerij Manel uitkijken. Ik las het bericht twee keer achter elkaar om me ervan te verzekeren dat het geen grap was, en toen ik uit de trein stapte zocht ik zowel het gezicht van mijn broer als een dikke man met een bloederig schort voor. Ik zag niemand die bij de omschrijving paste en liep door de stationshal naar buiten. Toen ik geen bestelwagen zag, stak ik de straat over bij een zebrapad naar het park tegenover het station. Aan de andere kant van het park zag ik een bestelwagen staan. Ik liep ernaar toe en liep eromheen, maar ik zag geen slager. Ik bleef bij de bestelwagen staan, keek besluiteloos links en rechts de straat in, en even later kwam er een jongeman uit het café aan de overkant.

'Ben jij Sira?' vroeg hij terwijl hij naar mij toe huppelde.

'Ja.'

'Ik ben Manel. Kom, we gaan naar Prats.'

Hij was nog geen dertig en babbelde de hele reis door. Hij vertelde dat Nil bij het benzinestation moest werken en dat hij daardoor niet had kunnen komen. Daarna vertelde hij dat hij mijn broer al heel lang kende en dat ze dikke vrienden waren. En dat Nil ook nauw bevriend was met zijn vader, die vaak naar Barcelona ging, en een of andere geschiedenis over een gestolen zak met peper. Ik wist helemaal niet dat peper in zakken verkocht werd.

We stopten even bij het benzinestation. Nil begroette me en gaf me de sleutels van zijn huis. Daarna reden we verder naar het dorp.

Manel stopte bij een deur en zei: 'Dit is het: huize Biada.'

Het was een echt huis, dat huis van mijn broer, constateerde ik, van de fundering tot aan het dak. Ik bedankte de slager, die vriendelijk naar me knipoogde en de straat uit reed.

Ik bleef even onbeweeglijk voor de deur van dat dorpse huis staan, want ik durfde niet naar binnen. Het was vreemd om opeens zo in het leven van mijn broer binnen te dringen. Als ik toen we nog in hetzelfde huis woonden al nauwelijks zijn kamer in kwam als hij er was, en het nooit in me opgekomen was om er naar binnen te gaan als hij er niet was, zou ik dan nu wel het huis in durven dat hij gedurende de laatste jaren met zijn leven had gevuld?

Ik had de sleutel nog niet in het slot gestoken, toen mijn mobiel ging.

'Sira,' zei Nil. 'Ik weet dat dingen anders horen te gaan, maar je hebt me een beetje verrast met je bezoek.'

'Ja, je hebt gelijk. Het is mijn fout. Ik had mezelf niet zo makkelijk moeten uitnodigen.'

'Nee, dat bedoel ik niet. Je bent altijd welkom. Ik vind het alleen jammer dat ik het niet eerder heb kunnen vertellen.'

'Maakt niet uit. Alles is goed gegaan. Manel is erg vriendelijk.'

De lijn bleef even stil. Ik merkte dat Nil niet goed uit zijn woorden kon komen toen hij zei: 'Sira... ben je... Ben je al binnen?'

'Nee, ik sta voor de deur. Ik stond op het punt naar binnen te gaan.'

'Wacht even dan.'

'Ja, het is een beetje vreemd om zomaar zonder jou je huis binnen te gaan. Het voelt alsof ik ergens ben waar ik niet hoor te zijn.'

'Sira, ik moet je iets vertellen voordat je naar binnen gaat.'

'Wat dan?'

'Dit huis lijkt helemaal niet op mij. Op de Nil die je misschien denkt dat ik ben.'

'Nil, alsjeblieft... Als je liever hebt dat ik wacht totdat je klaar bent met je werk – prima – dan ga ik een paar kopjes koffie drinken en wacht op je.'

'Sira, ga gerust naar binnen, alsjeblieft.'

'Ik kan gewoon op je wachten, hoor.'

'Ga maar naar binnen. Maar pas op dat je niet struikelt over het speelgoed van je nichtjes. En schrik niet als er rond twee uur een moeder met twee kleine meisjes thuiskomt. Het is je schoonzus met mijn twee dochters. Nu moet ik ophangen. Er is net een auto gekomen.'

Nil vond het altijd lastig om iets zomaar te zeggen, om iets te zeggen op de manier waarop gewone mensen dat doen. Maar die dag realiseerde ik me dat mijn broer al met al een gewoner leven had dan de rest van ons, ook al had hij er moeite mee om dat met ons te delen.

Tegen de middag kwam Sílvia thuis met twee meisjes van zes en vier jaar, Jana en Emma. Voor het eerst hoorde ik iemand 'tante' zeggen en bedoelde ze mij, waardoor ik me op een vreemde manier gelukkig voelde, omdat het een echt gezin was, en ik merkte al snel dat ik er ook deel van uitmaakte.

Sílvia was lerares in Prats en vertelde dat ze Nil had ontmoet toen hij werk zocht bij haar school.

'We hadden geen baan voor hem,' zei Sílvia terwijl ze het eten voor de kinderen klaarmaakte. 'Maar ik deed mijn best om hem te helpen; ik belde zelfs naar andere scholen in de omgeving. Toen ik hem vertelde dat ik elders een baan voor hem probeerde te regelen, drong hij erop aan dat ik daarmee ophield, want hij wilde nergens heen. Hij had besloten in Prats te blijven en wilde hier werk zoeken. Hij wilde geen auto hoeven kopen om naar zijn werk te gaan. Ik weet het nog goed; hij zei telkens: "Ik wil alleen maar een eenvoudig leven. Het maakt me niet uit wat voor werk ik doe. Ik wil alleen maar rust." Hij had natuurlijk een baan nodig waarbij hij ruimte in zijn hoofd zou overhouden om zijn project voort te zetten.'

'Ja, natuurlijk,' zei ik, zonder te weten wat voor project ze bedoelde.

'Uiteindelijk kreeg hij werk bij het benzinestation. Elke keer dat ik ging tanken zagen we elkaar, en op een dag durfde ik hem te vragen of hij naar onze school wilde komen om de kinderen van mijn klas iets over zijn werk te vertellen. Het was maar een smoes, Sira... Ik vond hem leuk en ik bedacht allerlei manieren om hem te zien.' Ze glimlachte een beetje verlegen en ik glimlachte terug, verbaasd over haar eerlijkheid en twijfelend over wat ik haar kon vertellen zodra ze het leven van mijn broer had onthuld. 'En toen kwam hij op school en legde zijn werkzaamheden uit alsof hij een verhaal vertelde, snap je wat ik bedoel? De kinderen waren onder de indruk, want in plaats van een saai verhaal voor volwassenen te vertellen, zoals mensen doen die niet met kinderen kunnen omgaan, had Nil een manier gevonden om over een dag bij het benzinestation te vertellen die poëtisch was en vol raadsels. Ja... daar is Nil heel goed in.'

'Met kinderen?'

'Nee. Nou ja, dat ook, maar ik bedoel in verhaaltjes verzinnen.'

Ik wist niet wat ik moest zeggen.

'Heeft hij het echt nog niet verteld?'

Sílvia droogde haar handen af aan een theedoek en liep naar een boekenkast in de woonkamer. Ze kwam terug met een boek en reikte het me trots aan.

'Hij heeft het geschreven.'

Ik pakte het boek aan. Het omslag was helemaal geel, met grote paarse letters die een lange titel vormden: *De vrouw die zich verborg achter een lampenkap*. Onder de titel, bijna onzichtbaar, was de naam van de auteur te lezen.

Maar er stond geen 'Nil Biada'; de auteur was Jong Prats. Ik keek verbaasd naar Sílvia.

'Hij schrijft onder een pseudoniem,' zei ze.

Ik vond het allemaal behoorlijk onwaarschijnlijk: de titel, het pseudoniem, het feit dat hij nooit iets over zijn schrijverij had verteld. Ik vond het moeilijk te geloven dat mijn broer een boek had geschreven. Hij was toch wiskundige? Hij hield van getallen, niet van letters!

Ik opende het boek vol ongeloof en toen ik de pagina met de opdracht zag, kreeg ik een brok in mijn keel.

Voor Sira, las ik.

'Hij schreef het voor jou,' zei Sílvia, die pal naast me stond en al mijn bewegingen gadesloeg.

Met trillende handen bladerde ik door het boek, maar ik las geen regel.

'Je mag het houden. We hebben er veel meer op zolder.'

'Dank je wel, ik weet niet wat ik moet zeggen...'

'Dat kan ik me voorstellen. Nil doet soms best vreemd. Hoe kon hij je er niets over vertellen?!' zei Sílvia, terwijl ze terugliep naar de keuken.

Ik legde het boek op het tafeltje bij de bank en hielp Sílvia het eten op tafel te zetten.

'Jana, Emma! Het eten is klaar!' riep Sílvia.

De meisjes huppelden rond de tafel zonder te gaan zitten.

'Waar is papa?' vroeg de oudste.

'Hij komt eraan. Kom, ga maar zitten.'

En ze gingen aan tafel en toonden allebei een verontrustende tandpastasmile.

Een poosje later kwam hun vader van zijn werk en gingen we eten. We hadden de vorken net in onze handen toen Sílvia terloops opmerkte dat ik in het boek van mijn broer had gebladerd. Nil kreeg een hoofd als een boei en – warrig zoals alleen hij het kon zijn –, begon te vertellen dat dat boek maar een begin was, dat hij nu aan zijn tweede bezig was, dat een veel betere roman zou worden. Ik luisterde naar hem terwijl ik woorden zocht om hem te bedanken voor de opdracht, maar ik kwam er niet uit. Uiteindelijk zei ik: 'Ik heb veel zin om het te lezen.'

'Verwacht er niet te veel van,' zei Nil. 'Ik ben maar een beginneling.'

'Wat zeg je nou?' zei Sílvia. 'Het is een prachtig boek!'

'Dat zal Sira zelf wel beoordelen als ze het heeft gelezen.'

'Bedankt,' zei ik. En ik herhaalde het met een beetje meer nadruk, hopend dat mijn broer zou begrijpen waarom ik hem precies bedankte.

Ik weet niet of hij het begreep. Hij ademde diep in en keek naar zijn bord alsof het gesprek al afgelopen was.

'Zijn tweede boek zal volgend jaar verschijnen,' zei Sílvia trots. 'En niet meer onder pseudoniem, toch?'

Nil keek zijn vrouw met een uitgestreken gezicht aan en Sílvia glimlachte zacht en zei niets.

Ik bleef vijf dagen bij Nil logeren. 's Avonds voor het slapengaan las ik een paar hoofdstukken van *De vrouw die zich verborg achter een lampenkap*, en zo kwam ik steeds dichter bij de denkwereld van mijn broer. Een wereld vol onwaarschijnlijke biologen, geologen en acteurs, maar ook besprenkeld met moeders die in Frankrijk rood gras maakten, zusjes die castells bouwden, broers die dat telkens stiekem vanuit de menigte bekeken, ongenadige schrijfsters en slagers die gestolen peperzakken terugkochten.

Toen ik op de laatste avond bij de laatste pagina kwam,

begreep ik uiteindelijk waarom Nil geen andere keus had gehad dan weggaan, en hoe het nieuwe land hem had omarmd en hem de mogelijkheid had gegeven om weer te leven zonder zich voor iets te hoeven verschuilen.

Na die vijf dagen keerde ik terug naar huis met het aangename gevoel van een nieuw begin. Het lukte me om een hoofdstuk in mijn leven af te sluiten, zoals ik had gehoopt. En ik opende een nieuw hoofdstuk, waarin ik al niet meer zo gespannen naar mijn wanhopige toekomst keek, maar naar het evenwijdige geluk van mijn broer, naar de mogelijkheid om een gezin te stichten, ook al waren we in een rampgebied opgegroeid.

12

'Ooit, na het Twitter-tijdperk, komt het stiltetijdperk,' zegt de nasynchronisatieacteur met de architectenstem. Ik kijk hem aan en weet niet wat ik moet zeggen, want op dat moment realiseer ik me dat onze gesprekken steeds meer gaan lijken op de gesprekken die ik met Nil voerde toen hij me vanuit het benzinestation belde. Maar de acteur blijft me aankijken, want hij wil weten wat ik denk van het gedoe dat hij net heeft bedacht over een stiltetijdperk. Omdat ik niet weet wat hij wil dat ik zeg, besluit ik uiteindelijk te doen alsof ik hem niet heb gehoord, en ik vraag hem welke film hij wil zien terwijl ik de krant van gisteren openvouw, die ik van de conciërge van de studio mocht meenemen toen we gingen lunchen.

Toen we met de lift naar beneden gingen, stelde de acteur voor om naar de film te gaan om de tijd te doden, want we hoeven pas om halfzeven weer bij de studio te zijn. Ik kon geen nee zeggen, dus nu zitten we zo het dessert van het menu te eten en de filmladder te bekijken.

Om maar iets te zeggen stel ik een film in de Verdi-bioscoop voor die al om vijf over vier uur begint, zodat we makkelijk op tijd terug in de studio kunnen zijn. Ik sla mijn ogen op om te zien wat hij ervan vindt en zie dat hij

met open mond zit te kijken en zegt: 'Bij de Verdi? Onder-
titeld?'

Opeens realiseer ik me dat ik een nasynchronisatieacteur tegenover me heb en dat ik hem een nagesynchroni-
seerde film had moeten voorstellen, maar ik haat nagesyn-
chroniseerde films, want dan zit ik altijd naar de lippen
van de acteurs te kijken en ben ik me er steeds van bewust
dat ze een andere taal spreken. Maar het kwaad is al ge-
schied en het blijkt eigenlijk geen kwaad te zijn, want hij
vindt het ook goed om naar een ondertitelde film te gaan.

We gaan *De stad in de mist* bekijken. Een surrealistische
film over een doodgewone stad waar op een dag, zomaar
uit het niets, een dunne laag mist ontstaat op de grond,
waardoor mensen hun voeten niet meer kunnen zien. Die
mist verspreidt zich langzaam door de hele stad en wordt
steeds dichter, waardoor mensen van hun knieën tot de
grond al niets meer kunnen zien, zoals wanneer je in troe-
bel water van de zee loopt. In de loop van de dagen neemt
de mist meedogenloos toe, totdat alle bewoners tot aan
hun nek in de mist lopen. Ze kunnen elkaar nog net in de
ogen kijken en ze kunnen nog net met elkaar praten en ze
botsen nog net niet tegen elkaar op als ze door de straten
lopen. Allemaal bidden ze om de mist te laten optrekken.
Maar de volgende dag wordt de stad wakker, ondergedompeld in een wolk nog dichtere en plakkerige mist die hun
belet om te zien of de hemel blauw of geel of rood is.

De inwoners van de stad in de mist wennen er langzamerhand aan tegen elkaar op te botsen als ze door de straten lopen, en ze leren elkaar herkennen aan hun stem of
door elkaar aan te raken. Ze leren de dag van de nacht te onderscheiden door een lichte variatie in de grijze kleur van
de mist. En terwijl ze al die nieuwe gewoontes aanleren, ra-

ken ze zonder zich ervan bewust te zijn hun gezichtsvermogen kwijt, want hun ogen gaan achteruit door de pogingen om door het gordijn van gasvormig water te kijken. Het maakt hun echter niets uit, want ze hebben inmiddels geleerd te leven zonder te zien; ze hebben zich aangepast aan de nieuwe omstandigheden en zijn gelukkig.

Dan zijn er op een dag opeens vreemde klappen te horen op straat en iedereen verschuilt zich geschrokken in zijn huis. De klappen worden steeds heviger. Niemand begrijpt wat er gebeurt en omdat de mist wat donkerder wordt, komen ze tot de conclusie dat het al nacht is, dus gaat iedereen maar slapen, terwijl ze bidden dat het tumult de volgende dag zal zijn afgelopen.

De eerste die de volgende dag wakker wordt, opent zijn ogen in een verblindend licht en begint in paniek te schreeuwen. Hij probeert naar buiten te kijken, maar ziet alleen maar licht en kan niets onderscheiden. Alles is wazig, alsof de mist in zijn netvlies is gekropen. De volgende inwoner die wakker wordt overkomt exact hetzelfde en niemand durft naar buiten te gaan. Als de hele stad wakker is, beslissen de autoriteiten uiteindelijk de straten te inspecteren en ze komen erachter dat de grond helemaal bedekt is met kikkerlijkjes. De plaatselijke weerkundige kondigt aan dat de mist dankzij een kikkerregen is verdwenen.

Hoewel hun gezichtsvermogen al niets meer waard is, veroorzaakt de zon schaduwen en contrast, waardoor de stadsbewoners de gestaltes van hun medebewoners toch kunnen waarnemen. Ze lopen allemaal weer op straat zonder te botsen en zonder te hoeven praten of elkaar te hoeven aanraken.

De plaatselijke oogartsen doen de deuren van hun zaken weer open, maar niemand gaat erheen, omdat iedereen de onverwachte mist mist die het leven voor altijd heeft veranderd.

Als we de bioscoop uit komen vraagt de acteur die de architect speelt of ik de film goed vond. Ik antwoord dat die me aan het denken heeft gezet, wat waar is. Hij vraagt niet verder, maar vertelt een verhaal dat hij een tijd geleden las en zegt dat hij ervan overtuigd is dat de film plagiaat is, want in het verhaal dat hij heeft gelezen gebeurde precies hetzelfde – een mist die alles bedekt, mensen die op elkaar botsen en elkaar aftasten – maar in dat verhaal besloten mensen ook nog om naakt over straat te gaan. Maar goed, het eindigde niet helemaal hetzelfde, want er was geen kikkerregen. Op een dag verdween de mist zomaar zonder reden. Daarna stak iedereen zijn ogen uit om in de duisternis van de mist te mogen blijven leven.

'Het verhaal heet "Liefde is blind" en het is geschreven door Boris Vian,' voegt hij eraan toe. 'Ken je hem?'

Ik zeg van niet, hoewel ik weet dat hij de auteur is van *L'herbe rouge*, het Franse boek dat mijn moeder uit Parijs meebracht, de enige keer van haar leven dat ze er echt heen ging. Het boek dat misschien als inspiratie diende voor een vrouw die Cecília Sicília heet – tenminste, die zich zo laat noemen.

Ik kijk naar de acteur die altijd dingen vertelt die me verbazen. Dan denk ik aan de eerste dag dat ik hem zag, toen hij helemaal doorweekt was door een stortbui, en opeens moet ik aan de duiker denken. Ik weet niet waarom, maar ik besluit de nasynchronisatieacteur die ik amper ken het verhaal van *De regen van rood gras* te vertellen.

En ik zeg: 'Op een dag las ik het verhaal van een man die

zijn verdwenen vrouw zocht. In het huis van die man kon-den dingen gewoon praten. Alles sprak, behalve één boek, een stom boek dat misschien de oorzaak van alles was: van de verdwijning van de vrouw en van het geroezemoes in huis. Op het laatst vindt de man zijn vrouw inderdaad, maar ze is niet meer wie ze was, en ze verandert in een re-gen van rode grassprietjes. De man gaat door met zijn leven, zonder vrouw, en met een vervloekt boek in huis.'

Dan, voor de acteur iets kan zeggen, vraag ik hem: 'Ik neem aan dat je niet duikt, toch?'

Hij kijkt me aan, zegt van niet en glimlacht op een vreemde manier, alsof hij er niets van begrijpt, maar het hem niet uitmaakt, want hij vindt het gewoon fijn dat ik hem iets vertel. Het is alsof hij eigenlijk niet naar me luis-tert en er genoeg aan heeft te zien hoe de woorden aan mijn lippen ontsnappen.

GELE DAGEN

Biada, Nil, *Gele dagen*. Anthos, 2013.
(Fragment, p. 241)

Vriendschappen zijn altijd asymmetrisch. Maar dat is ook een van die dingen die we te laat leren, omdat we gedurende een kwart van ons leven misleid worden, omdat de vriendschappen in televisieseries wel symmetrisch zijn, en dat verwart ons. Vriendschappen dansen altijd op het slappe koord van een kwetsbaar evenwicht. Door het verstrijken van de tijd veranderen ze, worden ze herschreven, verwateren ze, of niet.

S. heeft weer met R. afgesproken. Ze weet nog niet of hun vriendschap zal bestaan uit eindeloos herinneringen ophalen of elkaar opnieuw leren kennen, alsof ze elkaar nu voor het eerst ontmoeten, maar met het voordeel van een gedeeld verleden.

Wat ze wel weet is dat ze vandaag een antwoord wil vinden. Ze wil met de R. die ze kende praten, om precies te weten wat er die week gebeurde toen ze ziek was en de lessen op school, de trainingen van de castellers *en R.'s intieme gesprekken met de eigenares van het café miste. Daarom heeft S. voorgesteld om bij de Jardins dels Castellers af te spreken, recht tegenover de plek waar ze vaak trainden. Hier zit ze nu te wachten. Ze zit op een bankje en herinnert zich haar eerste echte castell en haar knieën trillen opnieuw.*

'Hoi!' zegt een stem achter haar. 'Wat is het hier toch veranderd.'

De Jardins dels Castellers is een verhard plein op de plek waar

vroeger een rij huizen stond – de huizen die ze altijd zagen als ze
van de trainingen kwamen.

S. staat op om R. twee kussen te geven en voordat S. iets kan zeg-
gen, beveelt R. zoals vroeger, zoals altijd: 'We gaan naar De Kikker!'
S. knikt en ze lopen door de straten van hun jeugd, waar ze zich al
lang niet meer hadden laten zien. Ze komen bij het café, dat won-
derbaarlijk genoeg nog steeds De Apocalyptische Kikker heet, en lo-
pen naar de ingang, maar ze blijven op de drempel staan, want
vanbinnen is alles veranderd. Het is niet meer die donkere buurt-
kroeg met formicatafels en krakende stoelen, maar een modern
café waar alles rood en wit is, met glanzende tafels, designstoelen
en een paar banken. Ze kijken allebei in de richting van de bar, op
zoek naar een bekend, maar ouder gezicht. Tevergeefs, want aan de
bar staat een man van nog geen veertig.

Ze zeggen niets tegen elkaar. Ze lopen naar de bar en gaan al-
lebei op een zware kruk van rood leer zitten, en meteen komt de
barman hun vragen wat ze willen drinken. S. weet nog niet wat ze
wil en laat R. als altijd voorgaan, die zegt: 'Een koffie verkeerd,
graag. Wat wil jij, S.?'

'Ik ook,' mompelt ze binnensmonds.

Zodra de man de koffie voor hen heeft neergezet, verzamelt S. al
haar moed en zegt tegen haar jeugdvriendin dat ze wil weten wel-
ke kleur apocalyptische kikkers hebben.

Zoals altijd glimlacht R., alsof ze de woorden zoekt die ze moet
zeggen.

Maar voordat ze de kans krijgt om haar mond open te doen,
laat de man achter de bar alles liggen waar hij mee bezig was,
komt tegenover de twee vriendinnen staan en zegt: 'Dit café be-
staat al heel lang en de klanten vragen zich altijd hetzelfde af.
Wat zit er achter die Apocalyptische Kikker? Ik geloof dat er zelfs
mensen zijn die alleen maar naar binnen lopen om dit te vragen.
Eigenlijk weet ik het niet. Ik denk dat de vrouw die het café is be-

gonnen er altijd een geheim van maakte. Misschien omdat de oorsprong van de naam maar een flauwe grap was. Maar ja, het is wel een uitgesproken naam, dus heb ik hem toch behouden.'

R. kijkt S. aan en trekt een gezicht van 'Luister niet naar hem', maar de man blijft praten alsof hij er niets van merkt.

'Je zou eens op een vrijdagavond moeten komen. Ik heb dan altijd een of andere groep jongeren die zodra ze een beetje aangeschoten raken verhalen bedenken om de naam van het café te verklaren. Ze zeggen werkelijk van alles. Kijk, als ik een beetje slim was, zou ik ze allemaal moeten opschrijven en er een keer een boek van maken.'

Al pratend loopt de ober naar een van de tafels waar drie jongens net zijn gaan zitten, en vraagt om hun bestelling.

R. kijkt naar hem, en als ze denkt dat hij ver genoeg is om haar niet te kunnen horen, zegt ze tegen S. dat ze het niet moet geloven, dat er toch wel een verhaal achter die naam zit. Dan zoekt ze in haar herinneringenarchief, terwijl S. haar nieuwsgierig aankijkt. R. twijfelt duidelijk en S. zegt zelfverzekerd: 'Je kan het toch niet vergeten zijn!'

'Nee, natuurlijk niet!'

Maar ze vertelt het verhaal nog niet, en S. begint te denken dat haar vriendin nooit een gesprek heeft gehad met de eigenares van De Apocalyptische Kikker.

Uiteindelijk zegt R. dat ze het alweer weet en nog een beetje onzeker fluistert ze: 'De apocalyptische kikker is een heel zeldzame soort kikker, die in de moerassen van Australië leefde. Ze waren van een intense kleur geel met bleekblauw en ook wat rode vlekjes, die van vorm en grootte konden veranderen, afhankelijk van of de kikkers blij of verdrietig waren. En ze werden apocalyptisch genoemd omdat ze waren ontdekt door onderzoekers die eigenlijk bewijzen zochten die het einde van de wereld bevestigden zoals dat was voorspeld door Australische Aboriginals. Maar het verbijsterende is dat de kikkers nooit meer zijn gezien. Precies op het moment dat ze werden gecatalogiseerd, verdwenen ze. Alsof die naam ze op het lijf was geschreven. Of alsof hun ontdekking en naamgeving de apocalyps van de soort betekende.'

S. blijft haar vriendin aankijken, wacht of ze er nog iets aan zal toevoegen, maar R. is uitgepraat. Na een paar tellen stilte, barst S. in lachen uit.

R. trekt even een begrafenisgezicht en weet niet of ze boos moet worden of gewoon mee moet lachen. Uiteindelijk sluit ze zich aan bij de lach van haar vriendin en S. ziet in dat ze niet meer zijn wie ze ooit waren. De ober kijkt hen beduusd aan vanachter de bar, terwijl hij drie flesjes bier opent.

R. en S. drinken hun koffie op, leggen een paar euro naast de lege kopjes neer en verlaten het café met een levenslustiger gevoel dan ooit.

S. beseft dat ze altijd heeft gedacht dat ze ergens moest komen. Jarenlang dacht ze dat die plek in de hoogte was. Maar ze stopte met de castells en zag in dat ze met haar voeten op de grond moest staan. Later bedacht ze dat ze niet bij een plek moest komen, dat het eigenlijk om een persoon ging. Maar ook daarin vergiste ze zich. Dat zag ze weer later in.

Pas toen realiseerde ze zich dat alles gelogen was.

Dat de hemel nooit geel is geweest.

Dat gras niet rood is.

Dat de hemel alleen in de zomer blauw is.

Maar soms, heel soms, als S. naar de hemel kijkt, lukt het haar om iets anders te zien, dat speciale iets, wat ze er toen ze klein was op een dag in zag, en wat ze toen omschreef als een gele kleur. Vaak zijn die buitengewone dagen waarop het haar lukt om zich weer de gele hemels uit haar kindertijd voor te stellen dezelfde dagen waarop het middaglicht op een nat veld valt en het gras in een roodachtige gloed zet, een felle en bloederige kleur, die haar doet denken aan de verzonnen reizen van haar moeder en aan de vlucht van haar broer, de jongen die nooit op zijn plaats leek te zijn en die uiteindelijk toch de verteller van hun levens werd.